Chère lectrice,

Ce mois-ci, ne ra … des Corretti », la saga qu … ril. Dans *Scandale au* … use Maisey Yates lève en … rent l'événement le plus scandaleux de l'année : l'annulation du mariage qui devait unir les familles ennemies des Battaglia et des Corretti. Et quelle meilleure raison que l'amour pour justifier un tel scandale ? L'amour qu'Alessia Battaglia et Matteo Corretti, le cousin de l'homme qu'elle devait épouser, ressentent l'un pour l'autre depuis l'enfance. Un amour qu'ils ne pourront vivre pleinement qu'après avoir fait la paix avec le lourd héritage de leurs tumultueuses familles.

Pour une dernière fois, laissez-vous emporter dans l'univers envoûtant des Corretti, sur les chemins de leur Sicile natale, terre de passion et de secrets…

Très bonne lecture !

La responsable de collection

[illegible] tez pas le dernier tome de « La fierté
[illegible] nous fait vibrer depuis le mois d'avril
[illegible] (Azur n° 3534), la talentueuse
[illegible] les secrets qui ont [illegible]

[illegible]

La mariée de Marbella

CARol MARINELLI

La mariée de Marbella

Collection : Azur

Cet ouvrage a été publié en langue anglaise
sous le titre :
THE PLAYBOY OF PUERTO BANUS

Traduction française de
DIANE LEJEUNE

ÉDITIONS HARLEQUIN
83-85, boulevard Vincent-Auriol, 75646 PARIS CEDEX 13.
Service Lectrices — Tél. : 01 45 82 47 47
www.harlequin.fr
ISBN 978-2-2803-0764-2 — ISSN 0993-4448

1.

— Estelle, promis juré, tu n'auras rien d'autre à faire que de tenir la main de Gordon et danser avec lui…

Estelle poussa un soupir de résignation et referma son livre, consternée par l'aplomb de Ginny, sa colocataire.

— Tu crois vraiment que les gens vont me croire amoureuse d'un sexagénaire ?

— Bien sûr ! opina Ginny sans l'ombre d'une hésitation. On pensera juste que tu n'en as qu'après son argent, et d'ailleurs…

Elle dut s'interrompre, prise d'une nouvelle quinte de toux.

Longtemps, Estelle s'était demandé comment, à vingt-deux ans, Ginny pouvait posséder une voiture neuve et une garde-robe si fournie. Mais maintenant, elle avait découvert son secret. Ginny travaillait pour une agence d'escort-girls et avait un client de longue date, Gordon Edwards, un homme politique qui tenait à garder son homosexualité secrète. Ainsi, lui assurait-elle, Estelle n'avait rien à craindre de cet homme qui voulait juste une compagnie féminine au mariage où il était attendu.

— Peut-être, mais je vais quand même devoir partager sa chambre ! argua cette dernière.

Estelle n'avait jamais partagé de chambre avec un homme. De lit non plus, d'ailleurs. Pourtant, elle n'était pas si timide que ça, même si elle ne possédait pas le quart de l'assurance et de la sociabilité de Ginny, qui n'envisageait ses week-ends qu'en termes de fête, de clubs et de bars. Estelle, elle, préférait visiter les vieilles chapelles ou bouquiner au coin d'un bon feu.

— Gordon dort toujours sur le canapé quand on partage une chambre.

— N'insiste pas, c'est non !

Estelle chaussa de nouveau ses lunettes et reprit sa lecture. Mais comment se concentrer quand elle se faisait un sang d'encre pour son frère ? Il ne l'avait toujours pas appelée pour lui dire s'il avait décroché le poste.

Il avait enduré tellement d'épreuves, ces derniers mois ! Nul doute qu'un coup de pouce financier pourrait le mettre à l'abri un temps.

Et voilà qu'une occasion se présentait pour l'aider…

Le mariage avait lieu ce soir même dans un château, en Ecosse. Si Estelle décidait de remplacer Ginny comme celle-ci la suppliait de le faire, il fallait qu'elle se prépare dès à présent, réfléchit-elle.

— Mais que vont penser les gens qui connaissent Gordon ? demanda-t-elle à son amie d'un ton dubitatif. Ils ont l'habitude de te voir à son bras…

— Gordon saura leur expliquer, lui assura Ginny. Il dira que nous nous sommes disputés. De toute façon, nous devions bientôt annoncer notre rupture, puisque je ne vais pas tarder à finir mes études. Crois-moi, Estelle, Gordon est un homme adorable. Sa carrière ne souffrirait pas la révélation de son homosexualité. Il tient à venir à ce mariage accompagné d'une femme. Contente-toi de penser à la rémunération.

A dire vrai, Estelle n'avait rien d'autre en tête. Accepter l'offre signifiait pouvoir payer à son frère un mois entier de loyer et quelques factures. Lui et sa petite famille avaient subi tant de coups durs qu'ils méritaient bien un petit sursis. Andrew n'avait cessé de s'occuper d'elle longtemps après la mort de leurs parents, quand Estelle n'avait que dix-sept ans : c'était maintenant à elle de lui venir en aide.

Elle prit une longue inspiration. Sa décision était prise.

— D'accord, j'accepte de te remplacer.

Ginny lui adressa un sourire plein de gratitude, avant de froncer les sourcils. Avec ses longs cheveux noirs serrés en queue-de-cheval, sa peau diaphane sans l'ombre de fond de teint et ses yeux verts dénués de tout maquillage, Estelle ne ressemblait en rien aux sirènes aguicheuses que l'agence avait l'habitude de recruter.

— Alors, prépare-toi, lui intima-t-elle. Si tu veux, je peux t'aider à te coiffer.

— Ne m'approche pas avec cette toux ! la prévint Estelle. De toute façon, je peux très bien me débrouiller.

Elle ignora la moue dubitative de son amie d'un haussement d'épaules.

— N'importe quelle femme peut se transformer en vamp, s'il le faut. Mais j'avoue que je ne possède pas vraiment la garde-robe adéquate.

— J'avais déjà prévu une robe pour le mariage, la prévint Ginny en riant, avant de se diriger vers son armoire.

Estelle resta bouche bée quand elle aperçut le minuscule fourreau en lamé.

— C'est pour porter *sous* la robe, n'est-ce pas ?

— Allons, essaye-le. Tu vas voir, il t'ira à merveille.

— J'en doute…

— Détends-toi, Estelle. Je suis sûre que tu vas bien t'amuser.

Après un rapide brushing pour gonfler sa chevelure ébène et une séance de maquillage où Ginny lui enjoignit de ne pas lésiner sur le mascara, Estelle alla enfiler la robe dans la chambre puis revint pour entendre le verdict de sa colocataire.

Cette dernière écarquilla les yeux, médusée par sa métamorphose.

— Je crois que Gordon va me congédier, ironisa Ginny.

— C'est la première et la dernière fois que je fais ça, dit Estelle avec un soupir.

— C'est aussi ce que je disais quand j'ai commencé à l'agence. Mais tu vas voir, tu y prendras goût…

— Tu délires, ma pauvre ! s'exclama Estelle tandis qu'une voiture klaxonnait devant leur porche.

— Tu es splendide et tout ira bien, la rassura Ginny en la voyant sursauter.

Estelle se répéta cette phrase en silence alors qu'elle refermait la porte de l'appartement derrière elle et avançait sur le trottoir, vacillant sur ses talons vertigineux, en direction d'une berline noire où l'attendait l'homme politique.

— J'ai décidément des goûts impeccables !

Gordon l'accueillit avec un grand sourire bienveillant tandis que le chauffeur s'effaçait pour la laisser entrer dans le véhicule. Replet, vêtu du costume traditionnel écossais, il la fit aussitôt sourire.

— Et puis, vos jambes sont bien plus jolies que les miennes, ajouta-t-il avec bonne humeur. Je me sens ridicule affublé de ce kilt !

Estelle se sentit immédiatement en confiance. En route vers l'aéroport, Gordon entreprit de lui donner les instructions à suivre.

— Nous nous sommes rencontrés chez Dario's, commença-t-il, avant de préciser devant son air perplexe : c'est un bar où les riches vieillards comme moi trouvent de belles jeunes femmes. Vous travaillez ?

— Oui, à mi-temps, dans une bibliothèque.

— Bon. Inutile de le mentionner. Dites plutôt que vous êtes mannequin, suggéra-t-il. Restez vague dans vos réponses. Expliquez simplement que s'occuper de moi est un travail à plein temps.

Estelle rougit et Gordon lui adressa un petit sourire amer.

— Je sais. C'est lamentable, n'est-ce pas ? Dire que c'est moi qui ai inventé cet immonde personnage…

— J'ai juste peur de ne pas être à la hauteur.

— Tout ira bien, lui assura-t-il, avant de répéter une dernière fois le scénario avec elle.

Dans l'avion, il s'enquit du frère et de la nièce d'Estelle, qui fut surprise de découvrir que Ginny lui avait tout raconté.

— Ginny et moi sommes devenus bons amis, lui expliqua

Gordon, avant de lui presser la main avec tendresse. Elle s'inquiétait tellement pour vous quand votre frère a eu ce terrible accident, puis quand le bébé est né si malade… Comment va la petite, à présent ?

— Elle attend une opération.

— Gardez à l'esprit que, ce soir, vous leur venez en aide, lui répondit Gordon, tandis qu'ils montaient à bord d'un hélicoptère dépêché pour les emmener au château. Demain, à cette heure-ci, votre mission sera terminée.

[illegible]
[illegible]
[illegible]
[illegible]
— [illegible]

[illegible]
[illegible]
[illegible]
[illegible]

2.

Le cri des mouettes et le pouls distant de la musique électronique agissaient comme une berceuse sur Juan. Mais celui-ci se réveilla en sursaut, hanté par le même vieux cauchemar.

Le doux roulis de son yacht le poussa un instant à se rendormir, puis il se souvint qu'il avait rendez-vous avec son père. Il rouvrit les yeux avec peine et regarda la jolie blonde qui s'étirait à ses côtés.

— *Buenos dias*, roucoula-t-elle.

— *Buenos dias*, lui répondit-il, avant de se tourner pour vérifier l'heure sur son réveil.

— A quelle heure devons-nous partir pour le mariage ? s'enquit-elle dans son dos.

Juan ferma les yeux, agacé. Il n'avait jamais proposé à Kelly de l'y accompagner, mais celle-ci connaissait bien sûr son emploi du temps par cœur : après tout, elle était sa secrétaire ! Comme elle couchait avec lui, elle s'imaginait être automatiquement invitée. A tort.

— Nous en parlerons plus tard, lui répondit-il sans chaleur.

— Allons, reste un peu, insista-t-elle d'un ton mutin.

— Pas maintenant. J'ai rendez-vous avec mon père dans dix minutes.

— Ce n'est pas le genre de chose qui t'arrêtait, avant.

Il ignora sa remarque, s'habilla à la hâte et prit congé d'elle d'un vague signe de la main. Il sortit sur le pont du bateau d'un pas pressé. Une employée commençait déjà à nettoyer les lieux, qui avaient accueilli la veille l'une des fêtes légendaires de Juan Sanchez Fuente. Elle lui adressa un sourire enjoué et le remercia quand il lui donna un substantiel pourboire. Les excès de son patron ne la dérangeaient pas. Lui, au moins, la traitait avec respect et la payait bien, contrairement aux autres propriétaires de yachts qui la faisaient trimer pour un salaire de misère.

Juan mit ses lunettes de soleil et traversa la marina de Puerto Banus. Il adorait cet endroit, où la fête ne s'arrêtait jamais. Et il savait pourquoi. Le silence n'y avait pas droit de cité.

Enrique, son chauffeur, l'attendait au bout du quai. Juan entra dans le véhicule et, tandis qu'il se faisait conduire vers ses bureaux de Marbella, réfléchit en silence. Il connaissait la raison pour laquelle son père voulait le voir, mais son esprit revenait sans cesse aux dernières paroles que Kelly avait prononcées.

Ce n'est pas le genre de chose qui t'arrêtait, avant.

C'était toujours la même rengaine ! Au moment même où il commençait à se lasser, ses conquêtes se mettaient à s'attacher. Mais Juan fuyait toute relation durable. Il refusait de s'engager et préférait ne pas se laisser approcher de trop près. Il avait suffisamment causé de souffrances comme cela.

— Je n'en ai pas pour longtemps, dit-il à Enrique qui, arrivé à destination, lui ouvrait la portière.

La conversation qu'il était sur le point d'avoir avec son père ne l'enchantait guère, mais ce dernier avait insisté pour qu'ils se voient ce matin, et Juan comptait en finir au plus vite.

— *Buenos dias*, dit-il à Angela, la secrétaire de son père. Que fais-tu là un samedi ?

D'habitude, Angela retournait chaque week-end en avion auprès de son fils, à San Sebastian.

— J'essaye de joindre un certain Juan qui avait promis d'être là à 8 heures, rétorqua-t-elle avec un regard réprobateur. As-tu oublié de rallumer ton téléphone ?

Angela était bien la seule personne qui s'autorisait à lui parler de manière si familière. A près de soixante ans, elle travaillait pour la société depuis toujours. Juan éprouvait tant d'affection pour elle qu'il ne pouvait prendre ses réprimandes qu'avec bonne humeur.

— Je n'ai plus de batterie.

— Evidemment… Bon, avant que tu ne voies ton père, nous devons vérifier ton emploi du temps. Et il faut aussi te trouver une nouvelle secrétaire, de préférence une qui ne te plaise pas !

Juan leva les yeux au ciel, sans qu'Angela ne s'en émeuve.

— Juan, dois-je te rappeler que je pars en congé dans quelques semaines ? Si tu tiens à ce que je forme ta nouvelle assistante, je dois m'en charger dès maintenant.

— Très bien, trouve-moi quelqu'un, concéda-t-il avec un soupir las. Et tu as raison : mieux vaut quelqu'un qui ne m'attire pas.

— A la bonne heure ! s'écria Angela d'une voix moqueuse.

Juan secoua la tête. Pourquoi fallait-il que toutes ses conquêtes finissent par penser qu'elles ne pouvaient concilier travail *et* sexe avec lui ? Non, après quelques semaines, il leur en fallait toujours plus. Or, Juan n'avait aucune intention de s'engager davantage. Comme d'autres avant elle, Kelly serait ainsi transférée dans un autre département, ou partirait avec un gros chèque, si elle préférait cette option.

— Tous tes vols et transferts sont confirmés, l'informa Angela. Dire que tu vas porter un kilt !

— Mais ça me va très bien, je te signale ! répliqua-t-il avec un sourire. Donald a insisté pour que tous les hommes invités en portent un. D'ailleurs, ce ne sera pas ma première fois.

Il avait étudié en Ecosse pendant quatre ans. Sans doute les quatre années les plus heureuses de sa vie, qui lui avaient valu plusieurs amitiés indéfectibles.

Sauf une.

Ses traits se durcirent en repensant à son ex qui, malheureusement, se rendait elle aussi au mariage. Peut-être aurait-il mieux valu y emmener Kelly, en fin de compte ? Tout pour faire fuir Araminta…

— Bien. Je vais voir mon père, à présent.

— Pas avant d'avoir avalé un café et changé de chemise. Tu as une mine affreuse !

Décidément, Angela était bien la seule femme à oser lui parler de la sorte, songea-t-il.

Juan entra dans son propre bureau, une pièce si vaste qu'elle ressemblait davantage à la suite d'un palace. L'endroit abritait, en plus du bureau, une grande chambre et une salle de bains attenante. Juan jeta un œil en direction du lit, un instant tenté de s'y allonger pour rattraper un peu de sommeil. Il n'avait dormi que deux ou trois heures la veille, et la vision de son visage dans le miroir de la salle de bains le lui confirma.

Ses yeux étaient rouges et fatigués. Il avait oublié de se raser hier, et ses cheveux de jais, d'habitude si bien coiffés, retombaient sur son front en boucles emmêlées. Sans parler de la marque de rouge à lèvres qui s'étalait sur son col de chemise.

Oui, il ressemblait en tout point au play-boy dévoyé que son père lui reprochait d'incarner.

Il enleva sa veste et sa chemise et s'aspergea le visage d'eau glacée puis revint dans son bureau, encore torse nu, pour avaler le café qu'Angela avait déposé sur la table basse.

Celle-ci était peut-être la seule femme à ne pas rougir devant cette vision. A sa décharge, elle l'avait connu en culottes courtes !

— Tu avais raison, j'avais besoin de me rafraîchir, admit-il avant de la remercier d'un signe de la tête pour le café et la chemise propre qu'elle lui tendait. Sais-tu pourquoi mon père veut me voir ?

Il ne le savait que trop bien. Encore des reproches sur ses mœurs dissolues et le besoin de se ranger…

— Je… je n'en suis pas sûre, balbutia Angela, dont les joues rosirent imperceptiblement. Mais dans tous les cas, écoute ce qu'il a à te dire. Ne vous disputez pas. Ton père est malade…

— Ce n'est pas parce qu'il est malade qu'il a forcément raison.

— Certes, concéda Angela avec prudence. Mais il tient à toi malgré tout, Juan, même s'il ne te le montre pas toujours. Ecoute-le, je t'en prie. Il s'inquiète de te laisser gérer les affaires seul, et…

Elle vit le front plissé de Juan et s'interrompit.

— J'ai l'impression que tu en sais plus que tu ne veux bien l'admettre, dit celui-ci d'une voix suspicieuse.

— Juan, je veux juste que tu l'écoutes. Je ne supporte plus de vous entendre vous disputer.

Juan lui adressa un sourire rassurant. Il aimait beaucoup Angela. Elle était comme une mère pour lui.

— Ne t'inquiète pas. Je n'ai pas l'intention de me disputer avec lui. C'est juste qu'à trente ans, j'estime que personne n'a à me dicter mes actes, ou à juger les femmes que je mets dans mon lit.

Il retourna dans la salle de bains une dernière fois pour dompter ses boucles rebelles d'un coup de peigne. Après tout, ne valait-il pas mieux faire croire à son père qu'il avait rencontré quelqu'un de bien ? songea-t-il. Prétendre qu'il avait l'intention de mettre de l'ordre dans sa vie ? Son père n'en avait plus pour très longtemps. Pourquoi ne pas le laisser partir l'esprit tranquille ? Cela ne l'engageait à rien, au fond.

— Souhaite-moi bonne chance, dit-il avec une grimace tandis qu'il repassait devant Angela, dont les traits trahissaient une nervosité qu'il n'arrivait pas à expliquer.

Il s'arrêta et planta son regard dans le sien, décidé. Il savait qu'Angela ne saurait cacher une information aussi essentielle à son père.

— Ecoute, tout ira bien. Tu sais, j'ai rencontré quelqu'un, mais je ne veux pas que mon père s'emballe à cette idée.

— Vraiment ? Qui ? s'exclama Angela, stupéfaite.

— Une de mes ex. Nous nous sommes revus récemment. Elle sera au mariage ce soir…

— Araminta !

— Motus…, chuchota-t-il, un sourire aux lèvres.

Voilà. Son plan avait fonctionné, se félicita-t-il en silence. Il savait qu'Angela ne saurait tenir sa langue.

Satisfait, il alla frapper à la porte de son père puis entra.

3.

Estelle avait l'impression que tout le monde la regardait de travers.

Elle et Gordon patientaient dans le hall immense en attendant le début de la cérémonie. Elle ferma ses paupières trop fardées et prit une profonde inspiration. Pourquoi diable avait-elle accepté une telle mission ?

Mais elle savait pourquoi, se rappela-t-elle.

— Voici Estelle, dit Gordon qui la présentait à un couple d'invités.

Estelle vit la femme hausser un sourcil réprobateur, esquisser un vague sourire contrit puis entraîner son mari un peu plus loin dès les salutations terminées.

— Vous jouez votre rôle à merveille, lui murmura Gordon en lui tapotant la main pour la rassurer. Peut-être pourriez-vous juste sourire davantage et feindre d'être totalement amourachée de ma personne. J'ai ma réputation de don Juan à tenir !

— Bien sûr, acquiesça Estelle avec un faible sourire.

— Un vieux gay et une jeune vierge… Quel couple improbable ! gloussa-t-il. S'ils savaient !

Estelle écarquilla les yeux, mortifiée, et Gordon s'empressa de s'excuser.

— J'essayais juste de vous détendre.

— Comment Ginny a-t-elle osé vous le dire ?

Mais à dire vrai, Estelle n'en attendait pas moins de sa colocataire. Ginny trouvait tellement amusant qu'Estelle n'ait jamais couché avec un homme…

Rester vierge n'était pourtant pas un choix. Après la mort de ses parents, elle s'était plongée dans les livres et ses études, davantage passionnée par les vieilles pierres et les châteaux que par les fêtes et les clubs à la mode.

Elle allait toucher deux mots à cette chipie de Ginny, fulmina-t-elle en silence.

— Ginny ne voulait pas se moquer de vous, lui assura Gordon, visiblement ennuyé de l'avoir mise mal à l'aise. Nous en avons juste parlé un soir. Je n'aurais jamais dû le mentionner. Navré.

— Ce n'est pas grave, lui répondit-elle. Après tout, je suis une rareté, par les temps qui courent.

— Nous avons tous des secrets, lui dit Gordon. Et ce soir, vous et moi avons tout intérêt à les taire. Estelle, je sais que cette mission vous pèse beaucoup, mais rassurez-vous : sous peu, je serai un homme marié.

Dans l'avion, Gordon lui avait confié qu'il allait bientôt épouser Franck, son compagnon de longue date, lors d'une cérémonie en Espagne.

— Je sais, mais je ne supporte pas le regard des gens, lui expliqua-t-elle. Tout le monde me prend pour une croqueuse de diamants. Même si, bien sûr, c'est le but.

— Ne vous préoccupez pas de l'avis des autres, lui assura Gordon.

N'était-ce pas ce qu'elle répétait à son propre frère, honteux de se déplacer en fauteuil roulant ? se rappela-t-elle.

— Vous avez raison, concéda-t-elle avec un sourire.

Ainsi, Estelle reprit un peu confiance et, accrochée au bras de Gordon, fit de son mieux pour ignorer les moues désapprobatrices des autres convives.

Mais alors qu'elle commençait tout juste à se détendre, elle regarda par la fenêtre et le vit.

— Oh ! oh ! Voilà que la soirée devient intéressante, se réjouit Gordon alors qu'au-dehors, le plus magnifique des hommes émergeait d'un hélicoptère posé sur la pelouse.

Grand, les cheveux noir d'encre, il affichait une expression fermée et ténébreuse. Le kilt qu'il portait aurait dû jurer avec son hâle méditerranéen, or, il lui allait à merveille. Avec ses longues jambes athlétiques et son port altier, il attirait tous les regards.

Les yeux rivés sur lui, Estelle le regarda entrer dans la salle et accepter une coupe de champagne d'un serveur. Il semblait ailleurs, perdu dans de sombres pensées, indifférent aux femmes qui s'agglutinaient autour de lui avec des sourires languides.

Puis, il croisa son regard.

Estelle voulut détourner le sien. En vain.

Il la scruta longuement, considérant un instant sa robe en lamé, mais sans paraître la juger, contrairement aux autres convives.

Elle sentit ses joues s'empourprer lorsqu'il porta le regard sur son compagnon de soixante-quatre ans. Comme elle aurait voulu lui avouer que ce vieil homme rougeaud et transpirant dans son kilt n'était pas son amant ! Mais bien sûr, elle ne le pouvait pas.

— Ne vous laissez pas distraire, lui chuchota Gordon, conscient du trouble qui l'envahissait. Mais j'avoue que cette vision a de quoi émoustiller. Il est divin.

— Qui ? dit Estelle, feignant de ne pas avoir remarqué le superbe inconnu.

— Juan Sanchez Fuente, bien sûr, murmura Gordon. Nos chemins se croisent de temps à autre. Il possède tout sauf la vertu. Même vêtu d'un kilt, ce gredin s'avère toujours aussi séduisant !

Estelle ne put s'empêcher de rire.

Les yeux de Juan parcouraient lentement l'assemblée. Avait-il bien fait de venir seul ? se demandait-il, alors qu'il apercevait Shona, l'une de ses ex, que le temps ne semblait pas avoir épargnée. Celle-ci lui jeta un regard furieux, comme si elle lisait dans ses pensées.

— Juan…

Il fronça les sourcils tandis qu'Araminta approchait de lui d'un pas hésitant. Elle affichait cette expression suppliante qu'il ne connaissait que trop. Il chercha un moyen de s'en débarrasser au plus vite. Ce soir, il avait besoin de distraction. Certainement pas d'une scène.

— Comment vas-tu ?

— Bien, lui répondit-elle.

Elle entreprit alors de lui faire le récit de son divorce. Comme elle se réjouissait de le voir ce soir ! lui confia-t-elle. Comme elle regrettait que les choses n'aient pas marché entre elle et lui, et…

— Je t'avais dit à l'époque que tu t'en mordrais les doigts, l'interrompit-il avec humeur. Et maintenant, si tu veux bien m'excuser, j'ai un coup de fil à passer.

— On se voit plus tard, alors ?

Il perçut la note d'espoir dans sa voix et sentit l'agacement monter en lui.

— A quoi bon ?

Et sur ces paroles, il lui tourna le dos sans même lui adresser un regard quand il l'entendit s'éloigner en sanglotant.

Que diable faisait-il ici ? se demanda-t-il. Il aurait dû se trouver sur son yacht, à se préparer pour une de ces soirées endiablées, plutôt que de replonger dans son passé. Et puis, il n'y avait pas assez de femmes disponibles, ici. Et après ce qu'il avait découvert ce matin, il n'avait pas intérêt à rester célibataire trop longtemps.

Il resserra les doigts sur sa coupe de champagne, traversé par un éclair de rage au souvenir des paroles de son père.

Il s'apprêtait à retourner vers son hélicoptère, décidé à quitter cet endroit qui ne faisait rien pour égayer son humeur, quand l'apparition d'une jeune femme aux cheveux d'ébène et au teint d'ivoire attira son regard. Leurs yeux se croisèrent et ne se lâchèrent plus.

Contrairement à la plupart des filles bavardes et pleines d'assurance que Gordon fréquentait d'habitude, celle-ci paraissait nerveuse et mal à l'aise.

Pour la première fois depuis le début de la journée, la conversation qu'il avait eue avec son père lui sortit de la tête.

Finalement, il allait peut-être rester un peu, décida-t-il, intrigué par cette apparition.

Une voix à l'accent écossais annonça le début imminent de la cérémonie, et tout le monde commença à se diriger vers la chapelle.

— Allons-y, dit Gordon en attrapant la main d'Estelle. Ah, que j'aime les mariages !

— Moi aussi, approuva Estelle en souriant.

Ils traversèrent la grande pelouse qu'un clair de lune illuminait doucement. On avait disposé des torches dans les ailes de la chapelle et, avec le château en arrière-plan, l'endroit tenait du conte de fées.

Estelle se détendit un peu, décidée à s'amuser. Somme toute, elle avait volé pour la première fois de sa vie en hélicoptère, elle passait la nuit dans un château de rêve dans les Highlands, et Gordon se révélait d'une compagnie délicieuse. Malgré ses craintes initiales, elle finissait par trouver sa mission plutôt agréable.

Lorsque résonnèrent les premières notes de la marche nuptiale, l'assemblée se leva, et la future mariée apparut sur le seuil. Estelle, impatiente de voir la robe, se retourna afin d'en avoir un premier aperçu… et découvrit que Juan était assis derrière elle.

Juste derrière elle.

Peu importe, se raisonna-t-elle. Il s'agissait d'une pure coïncidence. Après tout, il fallait bien qu'il s'asseye quelque part, non ?

Elle s'efforça donc de se concentrer sur la mariée qui progressait vers l'autel, rayonnante dans sa robe de fin tulle blanc qu'égayait un petit bouquet de bruyère. Elle sourit à la vue de l'expression radieuse du marié, mais pas longtemps.

Les yeux de Juan lui brûlaient les épaules et le cou. Elle savait pertinemment qu'il la regardait.

Au prix d'un effort considérable, elle reporta son attention sur les paroles du prêtre. Il parlait de soutien mutuel, dans la santé comme dans la maladie et, les yeux soudain embués de larmes, elle se souvint du mariage de son propre frère, à peine plus d'une année auparavant.

Qui aurait pu imaginer à l'époque les terribles épreuves qu'Andrew et Amanda, alors enceinte, s'apprêtaient à traverser ?

Gordon lui tendit un mouchoir avec un sourire bienveillant, qu'elle s'efforça de lui rendre, le menton tremblant.

Par pitié ! Epargnez-moi les larmes de crocodile, se moqua Juan en lui-même. L'ex-petite amie de Gordon avait déjà joué les pleureuses lors du dernier mariage, se souvint-il. Comment s'appelait-elle déjà ? Ah, oui, *Ginny*…

Il devait bien reconnaître que celle-ci, même si elle ne correspondait pas à ses goûts habituels, lui plaisait bien. D'où il venait, les brunes abondaient, et pour cette raison, il préférait généralement les blondes. Mais ce soir, cette couleur-là lui convenait. Il ne voulait rien d'autre.

Retourne-toi, lui intima-t-il en silence, désireux de revoir ce regard de braise.

Retourne-toi ! lui ordonna-t-il en voyant peu à peu son dos se raidir, comme si la mystérieuse jeune femme percevait sa demande silencieuse, mais y résistait de toutes ses forces.

Elle résistait, et comment !

Estelle se tenait droite sur son banc, refusant de se retourner afin de suivre du regard les mariés qui redescendaient l'allée pour lâcher des colombes dans le ciel nocturne.

Mais il fallait bien quitter les lieux à un moment ou un

autre. A contrecœur, elle se retourna donc et vit deux yeux noirs et ardents rivés sur elle. Elle aurait dû, comme le reste des convives, lever la tête pour admirer l'envol des colombes vers l'horizon.

Au lieu de cela, elle soutint ce regard.

Que diable faites-vous avec lui ? voulait lui demander Juan. *Comment pouvez-vous accompagner un homme au moins trois fois plus âgé que vous ?*

Mais bien sûr, il connaissait la réponse.

L'argent.

Et ce fut à cet instant que Juan sut ce qu'il devait faire. La réponse au dilemme qui le hantait depuis le petit déjeuner venait de lui apparaître.

Ses lèvres formèrent un lent sourire tandis que la jeune femme détournait d'un coup le regard pour voir — trop tard — les oiseaux s'envoler dans le ciel noir.

On rentra au château au son de la cornemuse. Juan marchait devant Gordon et Estelle, dont les hauts talons ne cessaient de s'enfoncer dans le gazon. Mais ce n'était rien en comparaison des sables mouvants qui l'avaient engloutie lorsque le regard de Juan s'était posé sur elle. Il avançait d'un pas tranquille et sûr, son kilt gris et lilas et son impeccable veste noire soulignant la perfection de sa carrure. Elle aurait voulu le rattraper, lui taper sur l'épaule et lui dire de cesser de l'importuner. Pourtant, il n'avait rien fait de mal. Sans même un regard vers elle, il se contentait de bavarder gaiement avec d'autres invités.

Juan mettait un soin particulier à l'ignorer. Il discuta un moment avec Donald, alla saluer une vieille connaissance, puis quelques-unes de ses anciennes conquêtes, sans ignorer que la belle inconnue le cherchait de temps à autre du regard.

Juan savait exactement comment et pourquoi il devait agir. Mélanger travail et plaisir lui avait causé quelques soucis par le passé.

Ce soir, pourtant, il tenait là la solution à son problème.

4.

— S'il vous plaît, monsieur.

Un serveur aborda Gordon et Estelle qui traversaient le grand hall vers leur table.

— Le plan de table vient d'être modifié, les informa-t-il. Les mariés ont insisté pour que vous obteniez une table plus près de la leur. Toutes nos excuses pour cette erreur.

— Oh ! oh ! Nous voilà surclassés, jubila Gordon tandis qu'ils suivaient leur guide jusqu'à leur nouvelle table.

Estelle savait d'avance où il les conduisait.

Juan ne leva pas les yeux à leur approche, ne daignant les regarder que lorsqu'ils prirent place. Les deux seules chaises libres se trouvaient, bien évidemment, à côté de lui.

Il l'avait fait exprès, se dit Estelle.

On lui tira la chaise à côté de la sienne et, dans un instant de panique, elle faillit supplier Gordon d'échanger avec elle, mais se ravisa, de peur de paraître tout simplement ridicule.

— Bonsoir, Gordon, dit Juan en lui serrant la main.

— Bonsoir, Juan.

Avec un sourire ravi, Gordon prit place à côté d'Estelle, de sorte qu'elle se retrouvait entre eux deux. Elle s'inclina légèrement en arrière tandis que les deux hommes se parlaient.

— Je ne vous ai pas vu depuis la dernière saison des mariages, lui fit remarquer Gordon dans un éclat de rire. Mais permettez-moi de vous présenter Estelle.

— Estelle…, répéta-t-il, songeur. En Espagne, on vous appellerait Estella.

— Peut-être, mais nous sommes en Ecosse.

Elle avait conscience du ton un peu abrupt de sa réponse, mais n'y pouvait rien : elle était sur sa défensive.

On leur servit du vin et, après en avoir pris une gorgée, elle demanda de l'eau au serveur. Pour un château plein de courants d'air, il y faisait étrangement chaud.

Des discussions s'engagèrent, et elle fut présentée au reste des convives de la table. Tout aurait pu se dérouler à merveille sans la présence troublante de cet homme qui, malgré son attitude en apparence nonchalante, ne perdait pas une miette de ce qu'elle disait.

Elle éclata de rire quand Gordon eut un bon mot, comme celui-ci le lui avait recommandé, et entreprit de lire le menu pour se donner une contenance.

On leur apporta le hors-d'œuvre, et elle fut soulagée que Gordon se tourne de nouveau vers elle pour bavarder, même si le téléphone de son compagnon n'arrêtait pas de sonner.

— C'est le travail ?

— Oui, confirma-t-il. Je devrais l'éteindre, mais à un moment ou à un autre, je vais malheureusement devoir passer quelques coups de fil…

Le plat principal arriva. C'était la meilleure volaille qu'Estelle se souvenait avoir dégustée. Pourtant, elle mangeait avec peine, trop troublée pour apprécier son repas. La question que lui posa l'une des invitées n'arrangea rien.

— Que faites-vous dans la vie, Estelle ?

Elle prit une longue gorgée d'eau avant de répondre.

— Eh bien, je fais un peu de mannequinat…, commença-t-elle avant de se souvenir des instructions de Gordon. Mais, bien sûr, s'occuper de Gordon est un travail à temps plein !

Du coin de l'œil, elle vit Juan se figer, tandis que

Gordon éclatait d'un grand rire, suivi bientôt par le reste de la table.

Tout cela n'était qu'une mise en scène, se rappela-t-elle. Encore quelques heures, et plus jamais elle ne reverrait ces gens. Qu'importe si Juan la trouvait futile !

— Et maintenant, les discours ! soupira Gordon d'un air las.

Ce fut long. Bien trop long. Surtout quand les mariés vous étaient parfaitement inconnus. Surtout quand la présence de Juan empêchait toute pensée cohérente.

C'était au tour de Donald, le marié, de prendre la parole. Après quelques formalités d'usage, il remercia ses invités, en particulier ceux venus de loin.

— J'espérais que Juan déclinerait l'invitation, plaisanta-t-il, tandis que toute l'assemblée se tournait vers ce dernier. Je suis juste soulagé que ma chère épouse ne l'ait pas vu en kilt *avant* que je lui passe l'anneau au doigt. Comment un Espagnol peut-il si bien porter ce vêtement ?

Toute la salle éclata de rire. Pas le moins du monde embarrassé, Juan riait de bon cœur avec les autres, sans doute habitué à se trouver au centre de l'attention.

— En Espagne, il n'y a pas de discours, dit Juan, en se penchant légèrement vers elle pour s'adresser à Gordon. Il y a la cérémonie, la fête, et puis, au lit !

La note suggestive dans sa voix la fit frissonner au plus profond de son être, tout comme la sensation de sa peau sur la sienne quand il effleura son bras du sien.

Estelle resserra les doigts sur son verre, luttant pour apaiser son souffle soudain affolé. L'homme n'avait pourtant rien dit ou fait de déplacé. Avait-elle donc trop d'imagination ? se demanda-t-elle.

— Vraiment ? s'exclama Gordon. Ça me donne envie de m'installer en Espagne. D'ailleurs, je vais justement…

Gordon fut de nouveau interrompu par la vibration de son téléphone, et Juan se redressa sur son siège.

— Ma chérie, je suis navré, s'excusa Gordon après avoir lu un message sur son écran. Je vais devoir sortir pour passer un coup de fil urgent. Il se peut que ce soit un peu long…

— Un problème ? s'enquit Estelle.

— Pas encore. Mais il faut que je m'en charge tout de suite si je ne veux pas que ça le devienne. Je vais faire au plus vite. Je déteste l'idée de te laisser seule.

— Elle ne sera pas seule, intervint Juan. Je lui tiendrai compagnie.

Elle n'avait certainement pas besoin de *sa* compagnie ! se lamenta-t-elle en silence.

— Mille mercis, lui dit Gordon. Avec une telle robe, elle mérite de danser.

Et, pour les apparences, il prit congé d'elle d'un petit baiser sur la joue.

Quel gâchis ! songea Juan en lui-même.

Une fois Gordon parti, Estelle se tourna en hâte vers ses autres voisins de table dans l'espoir qu'ils l'incluent dans leur conversation. Mais ceux-ci ne semblaient pas enclins à parler à la nouvelle conquête de Gordon. Ils finirent par se lever avec les autres couples pour rejoindre la piste de danse, la laissant seule à table avec Juan.

— De dos, vous pourriez passer pour une Espagnole…

Elle se retourna au son de sa voix profonde et veloutée.

— Mais de face…

Ses yeux se posèrent sur son teint clair, et Estelle sentit le feu envahir ses joues sous l'intensité de son examen. C'était comme s'il la déshabillait du regard. Comme si elle se retrouvait face à lui, complètement nue.

Jamais un homme n'avait exercé un tel pouvoir sur elle.

— Des origines irlandaises ? s'enquit-il.

Estelle hésita un instant avant d'acquiescer d'un signe de tête, tandis que son agitation redoublait. Hors de question de divulguer trop d'informations à cet homme.

— Vos parents vivent-ils toujours là-bas ?

— Non.

Devant sa réticence manifeste à parler, il préféra changer de sujet.

— Où vous êtes-vous rencontrés avec Gordon ?

— Chez Dario's, lui répondit-elle, comme le lui avait instruit Gordon. C'est un bar…

— Je sais. J'en ai souvent entendu parler, mais je n'y ai jamais mis les pieds. Je crois être encore trop jeune pour ce genre de lieu. Cela dit, en vous voyant, je me dis que je devrais essayer.

Il esquissa un petit sourire en la voyant rougir. Avec ses yeux d'un vert très foncé, qui contrastait avec le rose de ses pommettes, elle était incroyablement séduisante. Malgré l'ostentation de sa tenue et de son maquillage, il se dégageait de sa personne une certaine douceur, une maladresse charmante qui ne manquait pas de l'interpeller. Pourtant, elle n'incarnait en rien le type de femmes qu'il fréquentait d'habitude.

— Nous voilà donc tous deux seuls à un mariage…

— Je ne suis pas seule, lui fit-elle observer. Gordon ne va pas tarder à revenir. Et vous, comment se fait-il que… ?

Qu'un homme aussi séduisant que lui se retrouve seul ? Elle s'interrompit au milieu de sa phrase, incapable de trouver une manière adéquate de formuler sa question.

— Nous avons rompu ce matin.

— Oh ! je suis désolée.

— Ne le soyez pas, lui assura-t-il, réfléchissant un instant avant de continuer. D'ailleurs, rompre n'est pas vraiment le mot. Au fond, cela faisait à peine quelques semaines que nous étions ensemble.

— Quand bien même, une rupture est toujours douloureuse, non ? risqua-t-elle.

— Pas pour moi. C'est plutôt *avant* la rupture que je souffre.

— Quand la relation commence à se détériorer ?

— Non, objecta-t-il. Quand elle commence à se consolider.

Les yeux plantés dans les siens, il parlait d'une voix grave et basse. Estelle se pencha vers lui pour mieux l'entendre, fascinée par la singularité de ses propos.

— Quand elle commence à me demander ce qu'on va faire le week-end prochain, continua-t-il. Quand elle croit deviner mes envies ou lire dans mes pensées. Je n'aime pas qu'on pense à ma place.

— Je veux bien le croire.

— Et savez-vous à quoi je pense, là, tout de suite ?

Estelle retint son souffle, luttant pour paraître impassible. Oui, elle savait ce qu'il pensait. La même chose qu'elle.

— Voulez-vous danser ? lui proposa-t-il alors, la prenant totalement au dépourvu.

— Non, merci, je préfère attendre Gordon, répondit-elle aussitôt, consciente du dangereux magnétisme qu'il exerçait sur elle.

— Cela va de soi, concéda Juan. Aviez-vous déjà rencontré les mariés ?

— Non, dit-elle, avec le désagréable sentiment de subir une fois encore un interrogatoire. Et vous ? Etes-vous l'ami du marié ?

— Nous avons fait nos études ensemble.

— En Espagne ?

— Non, ici, en Ecosse. J'y ai vécu quatre ans avant de retourner vivre à Marbella. J'aime toujours autant y revenir. L'Ecosse est un pays magnifique.

— C'est vrai, approuva-t-elle. Du moins, du peu que j'en ai vu.

— C'est votre première fois ?

Elle acquiesça.

— Et êtes-vous déjà allée en Espagne ?

— Oui, l'année dernière. Mais seulement quelques jours. J'ai eu des soucis dans ma famille et j'ai dû repartir très vite…

— Juan ?

Celui-ci leva à peine la tête au son de la voix. C'était la femme qu'on avait changée de table quelques heures plus tôt, constata Estelle. Elle affichait une expression contrariée, presque suppliante.

— J'ai pensé que tu aimerais peut-être danser avec moi…

— Je suis occupé.
— Juan…
— Araminta, soupira-t-il avant de se tourner vers elle pour de bon, si je voulais danser avec toi, je serais venu te trouver.

5.

Estelle cligna les yeux plusieurs fois, choquée par la sévérité de ses propos. Car malgré la douceur de sa voix, ses paroles se révélaient glaçantes.

— Vous avez été un peu dur, commenta-t-elle tandis qu'Araminta s'éloignait, tête basse.

— Mieux vaut se montrer dur que d'envoyer des signaux ambivalents.

— Peut-être…

— Bref, dit Juan, les yeux de nouveau plantés dans les siens. Donc, si s'occuper de Gordon est un travail à temps plein, que faites-vous quand vous ne *travaillez* pas ?

L'emphase avec laquelle il avait prononcé ce mot signifiait clairement ce qu'il insinuait. Elle le fusilla du regard.

— Je n'apprécie pas vos sous-entendus.

Surpris de sa repartie, Juan sourit. Peu de gens osaient se montrer aussi offensifs avec lui.

— Pardonnez-moi. Je ne maîtrise peut-être pas assez bien votre langue.

Estelle prit une longue inspiration, jouant avec son verre tandis qu'elle réfléchissait à l'attitude à adopter.

— Et vous, que faites-vous, dans la vie ? lui demanda-t-elle alors, soudain consciente qu'elle ne savait rien de son interlocuteur. Etes-vous dans la politique, vous aussi ?

— Pitié !

Il la vit esquisser non sans déplaisir un petit sourire amusé.

— Je dirige la société immobilière De La Fuente.

J'achète, je rénove, je construis et je vends. Prenez par exemple ce château. S'il m'appartenait, j'en ferais un hôtel en plus d'un lieu de réception. Selon moi, cet endroit est sous-exploité.

Estelle le considéra un instant, admirative, mais s'efforçant de n'en rien laisser paraître. Juan ne pouvait évidemment pas savoir qu'elle étudiait l'architecture ancienne et qu'elle se passionnait pour la rénovation des monuments historiques.

Mais elle n'avait pas besoin de ce détail supplémentaire pour se laisser séduire. Pas une fois durant ses vingt-cinq années d'existence, elle ne s'était senti autant attirée par un homme.

— C'est donc l'entreprise paternelle ? lui demanda-t-elle, dans l'espoir de lui trouver un défaut quand il lui expliquerait que c'était l'argent de son père qui lui avait permis d'accéder à un tel degré d'opulence.

— Non, c'était l'entreprise de la famille de ma mère. Mon père en a hérité quand ils se sont mariés.

— Ah ? Pourtant vous avez dit De La Fuente, et je croyais que Fuente était *votre* nom.

Pour un mannequin occasionnel qui choisissait ses compagnons chez Dario's, la jeune femme lui paraissait bien perspicace, songea-t-il non sans perplexité.

— En Espagne, c'est différent, lui expliqua-t-il. On prend le nom du père en premier, puis celui de la mère. Mon père s'appelle Antonio Sanchez. Et ma mère s'appelait Gabriella De La Fuente.

— *S'appelait* ?

— Elle est morte dans un accident de voiture…

D'ordinaire, Juan le disait sans même s'en émouvoir, refoulant ce douloureux souvenir sous un masque d'impassibilité. Or, avec tout ce qu'il venait d'apprendre le matin même, son aplomb habituel menaçait à présent de le déserter.

Tous les hommes invités avaient lutté dans la chaleur de l'été écossais. Avec son physique athlétique et habitué au soleil comme il l'était, lui n'avait pas transpiré un seul instant. Mais ce soir, dans la grande salle du château traversée de courants d'air, il fut soudain pris de sueurs froides. Son visage se vida de ses couleurs.

Il s'efforça de se ressaisir et but une longue gorgée d'eau.

— A quand remonte l'accident ? s'enquit Estelle, bouleversée d'apprendre qu'ils avaient tous deux perdu leurs proches de la même façon.

Elle le regarda boire son verre d'eau et se passer une main sur le visage, avant de se tourner vers elle, de nouveau calme et composé.

— J'étais encore enfant, lui répondit-il avant de changer de sujet, préférant ne pas s'attarder sur ce passé qu'il tenait à conserver enfoui. Mon nom complet est donc Juan Sanchez De La Fuente, mais je l'abrège souvent quand je me présente.

Il lui sourit et elle lui rendit son sourire.

— C'est une belle tradition de conserver le nom de la mère.

— En effet, même si cela ne dure qu'une génération, argua-t-il.

Il la vit plisser le front, manifestement en proie à la perplexité.

— Donc, si vous aviez un enfant… ? l'interrogea-t-elle.

— Cela ne risque pas d'arriver. Je ne veux pas d'enfant.

— Oui, mais imaginons que vous en ayez un…

— Bien, dit-il avec un petit soupir. Je vais tenter de vous expliquer.

Il prit la salière et le poivrier sur la table et entreprit de construire un petit arbre généalogique.

— Quel est votre nom de famille ? lui demanda-t-il.

— Connolly.

— Bien. Nous avons une petite fille et l'appelons Jane…

Estelle sentit ses joues s'enflammer de plus belle à les imaginer concevant ce bébé…

— Elle s'appellerait donc Jane Sanchez Connolly.

— Je vois.

— Et quand Jane se marie…, continua-t-il en s'emparant d'une fourchette,… avec Harry Potter ici présent, leur fille…

Il prit alors une cuillère et l'ajouta à l'ensemble.

— … que nous appelleront Maria, prendra le nom de Maria Sanchez Potter. Plus de Connolly ! Simple, non ?

Il releva les yeux vers elle pour voir si elle avait bien suivi le cheminement, puis secoua la tête, mains au ciel.

— Ce qui est moins simple, ajouta-t-il, c'est les cinquante années de mariage qui vont avec. Je ne me vois pas un seul instant rester avec la même personne aussi longtemps. D'ailleurs, je ne crois pas à l'amour.

Il tenait toujours à ce que les choses soient claires d'emblée.

— Comment peut-on assister à un mariage et penser cela ? s'indigna Estelle. N'avez-vous pas aperçu le sourire de Donald à la vue de sa fiancée ?

— Bien sûr que si, admit Juan. Je l'ai bien reconnu : c'était le même sourire que celui qu'il arborait lors de son précédent mariage.

Elle éclata de rire, entre incrédulité et amusement.

— Vous êtes sérieux ?

— Tout à fait.

Le sourire qu'il lui adressa alors renforça encore le trouble qui grandissait en elle. Elle tenta de se ressaisir, de contrer un tel cynisme.

— Vous avez tort, Juan. Mon frère s'est marié l'an dernier, et lui et sa femme s'aiment profondément.

— Une année, dit-il avec un haussement d'épaules. C'est encore tout frais !

— Ils ont subi plus d'épreuves en un an que la plupart d'entre nous en l'espace d'une vie, rétorqua-t-elle, piquée au vif. Andrew, mon frère, a eu un accident lors de leur lune de miel. En jet-ski…

— Vraiment ?

Juan semblait sincèrement navré. Estelle confirma d'un hochement de tête.

— Il se déplace maintenant en fauteuil roulant.

— Est-ce donc le drame qui a interrompu votre séjour en Espagne ?

Elle acquiesça de nouveau. Elle ne lui précisa pas qu'elle suivait alors un circuit des églises andalouses. Sans doute pensait-il qu'elle avait appris la triste nouvelle dans une discothèque à la mode…

— Amanda était déjà enceinte, continua-t-elle, sans savoir ce qui la poussait à se confier de la sorte. Leur fille est née quatre mois plus tard. L'idée de devenir père était la seule motivation qui restait à Andrew. Et quand ce jour est arrivé…

Elle s'interrompit, bouleversée. Juan vit ses beaux yeux verts s'emplirent de larmes, son geste rapide pour tenter de les dissimuler.

— La petite souffre d'un problème cardiaque, reprit-elle, la voix éraillée de sanglots. Ils attendent qu'elle grandisse pour l'opérer.

Juan comprit alors que ce n'était pas des larmes de crocodile qu'il l'avait vue verser lors de la cérémonie. Il devina également la raison de sa présence aux côtés de Gordon ce soir. Il plongea son regard dans le sien.

— Votre frère travaille-t-il ?

— Non, confirma-t-elle. Il était auto-entrepreneur et…

Elle s'interrompit de nouveau, assaillie par le souvenir des trop nombreux problèmes qui compliquaient la situation d'Andrew.

Juan sut qu'il était temps de changer de sujet.

— J'ai les jambes engourdies par le froid. Il faut que je bouge, et puisque Gordon m'a demandé de prendre soin de vous…

Il se leva et lui tendit la main. Cette danse allait revêtir plus d'importance que nulle autre, décida-t-il. Cette danse allait lui permettre de vérifier que cette jeune femme était attirée par lui, *et par lui seul*. Si bien que lorsqu'il lui ferait la proposition qu'il avait en tête, elle ne la trouverait pas si absurde. Mais d'abord, il fallait sonder le terrain. Percer à jour ses véritables motivations.

6.

— M'accordez-vous cette danse ?

Estelle n'avait plus le choix. Un nouveau refus aurait sans doute trahi pour de bon le trouble qu'il suscitait en elle.

Alors qu'ils se dirigeaient vers la piste de danse, elle pria intérieurement pour que l'orchestre se mette à jouer un air plus rapide que ce slow langoureux. En vain.

Juan passa les bras autour de sa taille.

— Etes-vous nerveuse ?

— Non.

— Je pensais que vous aimeriez danser, vu que vous et Gordon vous êtes rencontrés chez Dario's.

— J'adore danser, répliqua-t-elle avec un sourire forcé, déterminée à jouer son personnage jusqu'au bout. C'est juste qu'il est encore tôt.

— Pour moi aussi, acquiesça Juan. D'habitude, à cette heure-là, je m'apprête tout juste à sortir. Allons, détendez-vous.

Elle essayait, mais la promiscuité de ses lèvres contre son oreille l'en empêchait, son souffle chaud faisant naître un délicieux frisson dans son cou.

— Puis-je vous poser une question ?

— Bien sûr, répondit Estelle, qui n'en avait pas la moindre envie et attendait la fin de cette épreuve avec hâte.

— Que faites-vous avec Gordon ? Vous êtes tellement plus jeune que lui…

— Cela ne vous regarde en rien ! riposta-t-elle, plus

que jamais sur la défensive, sidérée par l'aplomb de son cavalier.

— Vous avez vingt ans, n'est-ce pas ?

— Vingt-cinq.

— Il avait déjà dix ans de plus que mon âge actuel quand vous êtes née.

— Tout ça, ce ne sont que des chiffres…

Elle voulut se dégager, interrompre cette danse bien trop compromettante, mais il resserra son étreinte. Elle perçut alors les contours de son corps, la fermeté de son torse, le parfum viril qui émanait de son cou.

— Avouez que vous n'en voulez qu'à son argent.

— Vous êtes d'une grossièreté inouïe.

— Je me montre simplement lucide, rectifia-t-il. Mais sachez que je ne vous juge pas. Il n'y a rien de mal à cela.

— *Vete al inferno !* murmura-t-elle, contente de se souvenir d'un des rares jurons qu'elle avait appris grâce à une amie espagnole. Mais peut-être préférez-vous que je vous le dise dans ma langue ?

Il posa un doigt sur sa bouche avant qu'elle ne puisse s'exécuter. Le contact avec ses lèvres, la pression sensuelle, l'intimité du geste eurent l'effet désiré. Estelle se tut.

— Une dernière danse, lui dit Juan en ôtant lentement son doigt. Ensuite, je vous rends à Gordon, promis. Je ne voulais pas vous blesser, et je vous présente mes excuses si tel a été le cas.

Estelle plissa les yeux, méfiante. La sensation de son doigt sur sa bouche la brûlait encore. Le bon sens lui soufflait de refuser, de s'extirper de cette situation au plus vite, pourtant, la déraison l'emporta. Son corps, qui semblait s'épanouir au contact du sien, refusait de s'éloigner.

La musique se fit plus douce et, ignorant sa réticence initiale, Juan la serra plus fort contre lui. Cette femme remplissait tous les critères pour le projet qu'il avait imaginé. Pour une escort-girl, elle ne semblait pas si superficielle, au contraire même. Somme toute, elle méritait un généreux salaire pour la proposition qu'il comptait bientôt lui soumettre.

La tête contre son torse, elle sentait le velours soyeux de la veste effleurer sa joue et, plus encore, la main ferme et caressante, posée au bas de son dos, quand l'autre maintenait doucement sa nuque…

L'espace d'un instant, Juan ne pensa plus à son plan. Il se contentait de savourer cette étreinte fugace, la tiède chaleur qui irradiait de la jeune femme, la douceur de sa peau à la base de son cou, qu'il caressait du bout des doigts.

Comme il aurait aimé y déposer les lèvres, savourer son goût !

Ils dansaient, à leur propre rythme, oublieux de l'air que jouait l'orchestre, des autres couples qui les entouraient. Et plus ils dansaient, leurs corps à l'unisson, plus Estelle se sentait gagner par une douce torpeur, enivrée par la pulsation qui montait en elle et répandait un feu brûlant dans ses veines.

Juan percevait la chaleur de sa peau sous ses doigts, son souffle de plus en plus court contre son torse. Il imagina sa couronne de cheveux noirs étalée sur l'oreiller, la blancheur veloutée de ses seins sous ses lèvres… Jamais il n'avait autant désiré une femme. Et cette pensée faisait naître en lui un étrange malaise.

Non, il fallait confiner cette relation dans un strict cadre professionnel, se rappela-t-il. Ce soir, il devait réussir à tout prix à ce qu'elle ne pense plus qu'à lui et à lui seul. C'était son objectif premier, et il n'avait pas l'habitude de voir ses plans contredits.

Il laissa glisser sa main de la base de la nuque vers son dos, où la robe se découpait pour faire apparaître la peau nue et, à sa plus grande satisfaction, la sentit frémir sous la caresse.

— Bientôt, je vous rendrai à Gordon, lui répéta-t-il. Mais avant cela, je vous veux à *moi*.

Muette, Estelle ferma les yeux. Elle voulait s'éloigner, fuir ce piège qui la guettait. Mais son corps refusait de lui obéir, et se réchauffait au contact de ces bras puissants. Elle entendait le battement régulier du cœur de Juan quand son propre cœur, lui, martelait un rythme effréné dans sa poitrine.

Il sentait délicieusement bon, et sa joue si près de la sienne lui donnait envie de tourner la tête vers lui, de chercher le réconfort de ses lèvres. Sans le savoir, elle suivait le chemin qu'il avait tracé pour elle.

— Merci pour cette danse, parvint-elle tout juste à articuler, avant de reculer d'un pas.

Mais il la retint encore et lui souleva le menton d'une main.

— Tout le plaisir était pour moi.

Il la libéra alors, et Estelle partit se réfugier aux toilettes, passant ses mains sous l'eau glacée pour les refroidir.

Prudence, se répétait-elle en elle-même. *Sois très prudente, Estelle.*

Jamais elle n'avait connu quelque chose d'aussi fort que l'attirance qu'elle éprouvait pour cet homme. Or, elle ne doutait pas un seul instant qu'un homme comme Juan pouvait la détruire.

Elle étudia son reflet dans le miroir et sortit son tube de rouge à lèvres, essayant en vain d'analyser ce qui venait de se produire.

— Ah, vous voilà enfin !

Gordon lui souriait tandis qu'elle revenait vers leur table, rongée de culpabilité.

— Je suis vraiment désolé de vous avoir abandonnée de la sorte, mais un ministre étranger voulait me parler. Seulement, nous n'arrivions pas à le joindre, et on nous a promenés de secrétariat en secrétariat… Bref, dansons.

Il vida son verre d'un trait et lui tendit la main.

Danser avec Gordon se révéla bien différent. Le vieil homme plaisantait et bavardait gaiement, tandis qu'Estelle s'efforçait de ne pas penser à Juan, dont elle sentait les yeux noir d'encre les observer depuis leur table.

— J'ai l'impression que vous plaisez à Juan, lui fit remarquer Gordon avec bonhomie.

Elle sursauta, comme prise sur le fait.

— Allons, Estelle, ne vous inquiétez pas. Je suis ravi, ou du moins, mon personnage l'est. Avoir Juan comme rival est plutôt flatteur, vous savez.

Il lui déposa un petit baiser sur la joue, et elle posa la tête contre son épaule. Ses yeux croisèrent alors ceux de Juan, et de nouveau, le feu qui l'avait consumée un instant plus tôt se ralluma en elle. Elle voulut l'ignorer, en vain. Elle le vit esquisser un lent sourire satisfait, puis le perdit de vue, emportée par les pas de Gordon.

Quand, quelques minutes plus tard, elle le chercha du regard dans la salle, Juan avait disparu.

[illegible]
[illegible]
— Il le [illegible]
[illegible] que [illegible]
[illegible]

7.

— Désolé !

Gordon se répandait en excuses après avoir effrayé Estelle qui, rentrée quelques minutes après lui dans leur chambre, avait trouvé un monstre !

Il ôta le masque à oxygène de son visage.

— C'est pour mieux respirer. Je fais de l'apnée du sommeil.

Estelle avait passé un vieux pyjama râpé, seul vêtement de nuit qu'elle avait sous la main au moment du départ, mais elle savait de toute façon que Gordon ne s'attendait pas à la voir minauder en nuisette.

Elle proposa de dormir sur le canapé — il la payait, après tout — mais il insista pour qu'elle prenne le lit.

— Merci mille fois pour cette soirée, Estelle.

— De rien, Gordon, lui assura-t-elle en nettoyant avec peine l'épaisse couche de fond de teint de son visage. Ça n'a pas été si difficile, en fin de compte. Mais pour vous, n'est-ce pas dur de devoir sans cesse cacher votre véritable vie ?

— Si, ça l'est. Mais d'ici six mois, quand Franck et moi serons mariés et installés en Espagne, je pourrai enfin être moi-même.

Ils continuèrent à bavarder quelque temps encore, puis Estelle sentit le sommeil la gagner. Elle se glissa sous les draps et allait s'endormir, encore frémissante du souvenir de Juan, de leur danse envoûtante, quand Gordon mit en route son appareil respiratoire.

Ginny avait omis de la prévenir.

Elle resta allongée, la tête sous l'oreiller, à écouter le sifflement insupportable de la machine. Finalement, elle capitula.

Pieds nus, elle alla dans la salle de bains du couloir pour boire un verre d'eau puis, curieuse d'explorer les lieux, sortit sur l'immense balcon de pierre qui surplombait le *loch*. L'aube pointait à l'horizon, et elle inspira une longue bouffée d'air tiède.

Une porte grinça de l'autre côté du balcon, et elle se retourna. Les yeux écarquillés, elle vit Juan apparaître.

Il portait encore son kilt. *Et rien d'autre.*

La vue de son torse large, dont la peau hâlée se voilait d'une toison brune, réveilla en elle l'onde de chaleur qui l'avait assaillie plus tôt.

Il parlait au téléphone et croisa son regard. Elle déglutit avec peine, esquissa un vague sourire et passa devant lui dans l'espoir de fuir au plus vite cette rencontre inopportune. Mais d'un geste vif, Juan lui attrapa le poignet et ne le lâcha pas, sans cesser sa conversation téléphonique.

— Tu n'as pas besoin de connaître mon numéro de chambre, disait-il dans le combiné, les yeux au ciel. Araminta, tu ferais mieux d'aller te coucher. Non, *sans* moi !

Il finit par raccrocher avec un soupir d'agacement et, seulement alors, lâcha son poignet.

— Vous savez, sans tout ce maquillage sous lequel vous cachez votre visage…

Il s'interrompit pour examiner sa peau claire et pure, ses cheveux attachés en une queue-de-cheval basse, sa tenue qui n'avait rien à voir avec ce dont Gordon devait raffoler.

Juan, lui, la trouvait *très* affriolante ainsi. Estelle paraissait encore plus jeune sans maquillage, et son pyjama laissait imaginer les courbes parfaites qui se cachaient dessous.

D'ailleurs, il ne se priva pas de le faire.

— … vous êtes splendide, conclut-il. Comment Gordon a-t-il pu vous laisser échapper ?

— J'avais besoin de prendre l'air, répondit-elle, sur ses gardes.

— Moi, je me cache, lui confia Juan.

— De qui ? Araminta ?

— Quelqu'un a dû lui donner mon numéro. Il va encore falloir que j'en change…

Estelle sourit, non sans éprouver une certaine compassion pour l'autre femme.

Le téléphone de Juan sonna de nouveau. Celui-ci poussa un soupir, mais ne décrocha pas.

— Drôle de journée, n'est-ce pas ? se contenta-t-il de dire, avant de se diriger vers la balustrade pour admirer l'aube naissante.

Estelle acquiesça d'un signe de tête puis regarda à son tour le ciel nocturne. La jeune femme semblait visiblement à l'aise avec le silence, songea Juan. Lui, au contraire, cherchait à remplir ses jours et ses nuits de bruit et d'action, pour éviter de se retrouver seul avec ses pensées.

Il fut le premier à briser le silence, désireux d'entendre la voix d'Estelle.

— Quand repartez-vous ?

— Dès ce matin. Et vous ?

— Le plus tôt possible.

Il s'accouda à la balustrade, et Estelle aperçut alors la grande cicatrice qui courait depuis son épaule jusqu'à sa taille. Il tourna la tête vers elle et lut le choc sur son visage. D'ordinaire, il refusait d'expliquer la cause de cette blessure, peu enclin à éveiller la pitié d'autrui. Mais cette nuit, quelque chose le poussait à en parler.

— Ça date d'un accident de voiture…

— Celui qui a tué votre mère ?

Il acquiesça d'un bref hochement de tête puis reprit sa position initiale, le visage tourné vers la nuit. La présence de cette jeune femme lui était agréable. Car s'il vivait la seconde nuit la plus longue de son existence, cette fois, il n'était pas tout seul.

— Alors, reprit-il, que faites-vous *vraiment* avec un homme comme Gordon ?

— Il est gentil.

— Il existe beaucoup d'hommes gentils sur terre. Ce n'est pas une raison pour…

Il ne compléta pas sa phrase, certain qu'elle comprenait là où il voulait en venir.

— Etes-vous avec lui pour votre frère ? l'interrogea-t-il alors.

Liée par le secret, Estelle ne pouvait répondre à cette question. Pourtant, tous deux connaissaient la vérité.

— Avez-vous des frères et sœurs ? lui demanda-t-elle son tour.

Il y eut un long silence. Le père de Juan l'avait prié de ne rien révéler encore, mais tôt ou tard, cela allait finir par sortir au grand jour.

— Vous m'auriez demandé cela hier, ma réponse aurait été négative, commença-t-il en la regardant, satisfait de voir qu'elle ne le pressait pas de questions. Ce matin, mon père m'a annoncé que j'avais un frère, Luka. Luka Sanchez Garcia.

Prononcer ce nom était tellement étrange pour lui !

Grâce à la petite leçon qu'il lui avait dispensée plus tôt, Estelle en déduisit que les deux frères n'avaient pas la même mère.

— Quel âge a-t-il ?

— Vingt-cinq ans. Je suis entré dans le bureau de mon père ce matin, prêt à recevoir mon sermon habituel, à savoir quand vais-je trouver une épouse et rentrer enfin dans le rang. Mais là, je dois avouer qu'il m'a surpris. Mon père est mourant. Il souhaite mettre les choses au clair avant de disparaître.

— Cela a dû vous faire un terrible choc…

— Les secrets de famille ne sont pas rares, mais là, il s'agit carrément d'une vie parallèle. Son autre famille habite San Sebastian, dans le nord de l'Espagne. Plus jeune, je croyais que s'il y allait si souvent c'était pour ses affaires. Mais maintenant, j'en connais la vraie raison. Son assistante, Angela, a toujours été si présente…

Il haussa les épaules et secoua la tête. Il avait toujours considéré Angela comme une deuxième maman et lui avait accordé une confiance aveugle.

Les yeux clos, il se souvint comment, au sortir du bureau de son père, il avait crié des choses terribles à la seule femme qu'il pensait dénuée de toute perfidie.

— Nous nous sommes toujours très bien entendus, reprit-il avec un sourire contrit. Et à présent, je comprends que le fils dont elle parle si souvent est en fait mon demi-frère. Moi qui me targuais d'être fin psychologue, je réalise que je vivais dans l'ignorance la plus complète !

Il en avait assez dit pour ce soir. Trop dit, même.

— Donc, pour répondre à votre question : oui, j'ai un frère. Mais contrairement à vous, il ne m'est pas cher.

— Si vous le rencontriez, peut-être changeriez-vous d'avis.

— Ça ne risque pas de se produire !

Estelle fut parcourue d'un frisson, dû autant à la fraîcheur de l'air qu'à l'amertume qui tintait la voix de Juan.

— Je vais rentrer à l'intérieur, annonça-t-elle.

— Non, restez s'il vous plaît.

Estelle devait rentrer, retrouver la présence rassurante de Gordon. Mais elle ne voulait pas quitter Juan. Pourtant, il le fallait car plus elle restait en sa présence, plus elle sentait la faiblesse l'envahir.

— Bonsoir, Juan.

— Restez…

Elle secoua la tête, soulagée d'entendre le téléphone de Juan sonner de nouveau. Tandis qu'il s'en saisissait, elle en profita pour tourner les talons. Mais alors qu'elle s'apprêtait à regagner sa chambre, elle entendit la voix irritée d'une femme dans le couloir.

— Décroche, Juan ! Qu'est-ce que tu fabriques ?

Rapide comme l'éclair, Juan éteignit son téléphone et saisit Estelle par le bras pour l'attirer dans l'ombre.

— J'ai besoin d'un petit service, lui chuchota-t-il au creux de l'oreille.

Et avant même qu'elle ne puisse répondre, il l'enlaça et s'empara de ses lèvres en un baiser enfiévré.

Estelle voulut se débattre, résister à cet assaut brûlant, mais elle était incapable d'effectuer le moindre geste.

Elle entendit Araminta appeler Juan au loin, puis s'éloigner peu à peu.

Il pouvait arrêter, à présent, pensa-t-elle. Mais il n'en faisait rien, cherchant sa langue de la sienne, descendant une main vers le bas de ses reins, tandis que l'autre se glissait entre les pans de son pyjama entrouvert.

Sa poitrine à moitié dénudée effleurait son torse, et il émit un soupir sensuel.

— Ne le rejoignez pas…, murmura-t-il sans lâcher ses lèvres.

Non, il ne supportait plus de l'imaginer dans le lit de Gordon. Il lui fallait lui exposer son projet dès maintenant, décida-t-il.

— Partez avec moi.

Estelle mesura à cet instant l'ampleur du malentendu qu'elle-même avait contribué à créer : Juan présumait que, pour elle, ce genre de transaction allait de soi. Qu'elle se donnait simplement au plus offrant.

Et tandis qu'il s'approchait de nouveau pour prendre ses lèvres, elle leva la main et le gifla. Elle n'avait pas d'autre moyen de le repousser.

— Pourquoi le devrais-je ? Parce que vous payez davantage, c'est ça ? s'écria-t-elle, dégoûtée à l'idée qu'il puisse la prendre pour ce qu'elle n'était pas.

— Ce n'est pas ce que je voulais dire…

Juan savait qu'il méritait cette gifle. Sa suggestion prêtait à confusion. Pourtant, en cet instant, il ne pensait plus à résoudre ses propres problèmes.

Non, il refusait simplement de la voir partir pour un autre.

— Ce que je voulais dire…

— Je sais très bien ce que vous vouliez dire !

C'est alors qu'une voix derrière eux interrompit leur échange.

— Salaud !

Ils se tournèrent pour découvrir Araminta, les yeux rougies de larmes, une expression incrédule sur le visage.

— Tu disais être fatigué, ne pas vouloir sortir de ton lit !

— Retourne te coucher, Araminta, s'écria Juan, agacé par cette intrusion.

Estelle comprit alors combien l'homme pouvait se montrer virulent lorsqu'il le voulait.

— N'as-tu pas compris que tu ne m'intéressais plus ?

Sur ces paroles, il lui tourna le dos afin d'aider Estelle, mortifiée, à rattacher les boutons de son pyjama. Mais celle-ci balaya sa main d'une tape furieuse.

— Ne me touchez pas !

Elle quitta le balcon en courant, retourna dans sa chambre et se glissa sous les draps.

Puis, avec le sifflement de l'appareil de Gordon en fond sonore, elle s'efforça alors d'oublier la sensation des mains de Juan sur sa peau, celle de ses lèvres…

D'oublier ce désir inconnu qui s'était emparé d'elle.

8.

Le lendemain matin, elle raconta à Gordon comment Juan l'avait embrassée pour éviter une autre femme. Le vieil homme se montrait si prévenant avec elle qu'elle ne pouvait imaginer lui mentir. Elle se sentait pourtant terriblement honteuse.

— Allons, ne le soyez pas, la rassura-t-il. Me retrouver en compétition avec le beau Juan Sanchez Fuente ne peut que parfaire ma réputation. Et maintenant, coiffez-vous, mettez une tonne de maquillage et descendons prendre le petit déjeuner !

Estelle s'exécuta, passa une jupe trop courte et s'attacha les cheveux en une queue-de-cheval haute.

— J'ai l'air d'un clown, se lamenta-t-elle devant son reflet.

— Eh bien, au moins, vous me faites rire !

En bas, les convives restés pour la nuit s'attablaient autour d'un fastueux petit déjeuner à l'écossaise.

Par chance, Juan était parti, et Estelle n'eut qu'à endurer les œillades assassines d'Araminta à l'autre bout de la table. Elle se sentait soulagée de ne pas le voir et, à la fois, étrangement déçue, un sentiment qu'elle préférait ne pas trop tenter d'analyser.

Elle ne revint chez elle qu'en fin de journée. Gordon la raccompagna jusqu'à sa porte, puis lui fit ses adieux, et elle pénétra dans l'appartement avec un long soupir de soulagement, avant d'aller voir Ginny dans sa chambre.

— Comment te sens-tu ?

— Au fond du gouffre !

Ginny n'avait en effet pas l'air en forme.

— Je vais aller chez mes parents quelques jours. Mon père vient me chercher. J'ai besoin de ma maman et de bons petits plats.

— Tu as bien raison.

— Alors, et ce mariage ?

— C'était bien, répondit Estelle, évasive.

Nul doute que Ginny apprendrait tous les détails croustillants par Gordon. Estelle était encore agacée qu'ils aient tous deux discuté de sa virginité. Mais à voir son amie si malade, elle préféra reporter à plus tard cette petite mise au point.

— Tu vois, je t'avais dit de ne pas t'inquiéter, lui fit observer Ginny.

Le téléphone sonna, et le cœur d'Estelle bondit en voyant s'afficher le numéro de son frère.

— J'espère qu'il a décroché le poste !

Non. Il ne l'avait pas décroché.

— Encore raté, lui dit-il à l'autre bout du fil. Personne ne semble vouloir d'un employé en fauteuil.

Estelle percevait le désespoir qui teintait sa voix.

— Je suis sûre que tu vas finir par trouver, l'encouragea-t-elle avec une conviction forcée. Tu dois juste continuer de postuler.

Le père de Ginny klaxonna dehors, et Estelle se leva.

— Ecoute, je dois raccrocher. Je te rappelle demain, pour discuter…

Elle ne savait comment lui annoncer qu'elle avait un peu d'argent pour lui, quand bien même un mois de loyer ne pouvait suffire à soulager Andrew et sa femme bien longtemps, elle le savait. Elle devait réfléchir à une solution plus durable.

— Ton père est là ! cria-t-elle en direction de Ginny.

— Merci encore pour hier soir, lui dit celle-ci en attrapant son sac avant de sortir pour aller rejoindre son père.

Ginny était bien trop groggy pour remarquer la luxueuse berline garée un peu plus haut dans la rue.

Mais Juan, lui, ne manqua pas d'apercevoir Ginny. Et il fronça les sourcils en constatant qu'Estelle et l'ex de Gordon vivaient sous le même toit. Après les révélations que lui avait faites son propre père, plus rien ne pouvait l'étonner, mais il devait reconnaître que cette découverte le décevait quelque peu.

La rencontre entre Estelle et Gordon tenait-elle réellement du hasard ? Ou les deux jeunes femmes travaillaient-elles dans une agence d'escort-girls ?

Juan réfléchit. Après tout, si tel était le cas, il pouvait y voir un avantage : il lui fallait trouver une femme solide. Une femme capable de séparer sexe et sentiments et de considérer la proposition qu'il s'apprêtait à lui soumettre comme une opportunité financière plutôt que comme une promesse romantique.

Pourtant, un désagréable pincement lui tenaillait le ventre tandis qu'il s'approchait de la porte. Depuis la veille, l'idée de savoir Estelle avec Gordon le rendait fou de rage.

Estelle serait tellement mieux avec lui !

Etait-ce présomptueux de le penser ? se demanda-t-il en gravissant les marches du perron. Peut-être. Mais il possédait suffisamment de bon sens pour savoir qu'il avait raison.

— Qu'as-tu encore oublié ? s'exclama Estelle avant de se figer quand elle vit qu'il ne s'agissait pas de Ginny.

Juan, sourire aux lèvres, l'étudiait avec attention. Il préférait sa tenue de la veille sur le balcon, mais tout compte fait, son apparence actuelle — minijupe, maquillage outrancier, cheveux laqués — facilitait les choses.

— Que voulez-vous ?

— M'excuser pour hier soir. Je crois que vous m'avez mal compris.

— Non, je vous ai très bien entendu, assura-t-elle avant de hausser les épaules. Mais puisque vous y tenez, j'accepte vos excuses. Et maintenant, si vous le permettez…

Alors qu'elle s'apprêtait à lui fermer la porte au nez, Juan sut qu'il n'avait plus de temps à perdre. Il fallait agir.

— Vous avez raison ! Je ne voulais pas vous voir retourner avec Gordon, mais c'est parce que…

La porte se refermait sur lui, et Juan décida alors d'aller droit au but.

— Je voulais vous demander en mariage.

Estelle se figea, saisie de stupeur, puis partit d'un grand rire nerveux.

Après la tension de ces dernières vingt-quatre heures, le désespoir de son frère au téléphone, et maintenant, Juan, debout devant elle, dans toute l'élégance de son jean noir et de sa chemise immaculée, qui se moquait ouvertement d'elle… Que pouvait-elle faire d'autre qu'éclater de rire ?

— Je suis sérieux.

— Mais oui, bien sûr, aussi sérieux qu'hier soir, quand vous m'avez assuré ne jamais vouloir vous marier !

— En effet, je ne crois pas au mariage d'amour, concéda-t-il. Mais j'ai besoin d'une épouse. Une femme sensée, qui sait ce qu'elle veut et comment l'obtenir.

Encore une de ces désagréables allusions, songea Estelle. Elle s'apprêtait à refermer la porte pour de bon quand elle aperçut le chèque que Juan tenait dans la main. Un chèque où elle lisait son propre nom, inscrit à côté d'un montant faramineux. Non, il ne pouvait être sérieux. Elle posa les yeux sur lui et comprit qu'il l'était. Il voulait la payer pour ses services. Tout comme Gordon l'avait fait.

Estelle déglutit avec peine, consciente que, malgré tout ce que Juan pouvait penser d'elle, elle ne devait pas trahir le secret de Gordon.

— Ecoutez, je ne sais pas ce que vous avez dans la tête, mais Gordon et moi…

— Voulez-vous dire, Gordon, *Ginny* et vous ? rectifia-t-il, satisfait de la voir rougir sur-le-champ. Sortez-vous toutes les deux avec lui ?

— Je n'ai pas à vous donner d'explication.

— Certes, concéda-t-il.

— Comment avez-vous su où j'habitais ?

— J'ai fouillé votre sac quand vous dansiez avec Gordon.

Estelle cligna les yeux. Au moins, il fallait reconnaître à cet homme une sincérité à toute épreuve, reconnut-elle pour elle-même. Décidément, il l'intriguait de plus en plus. Le bon sens lui soufflait de refermer la porte, mais alors qu'elle observait ces yeux noir d'encre, la curiosité la gagna. Elle voulait en savoir davantage sur cet homme qui n'avait plus quitté son esprit depuis qu'elle avait croisé son regard.

— Allez-vous vous décider à me laisser entrer ? Je ne demande que dix minutes de votre temps. Ensuite, si vous souhaitez encore que je parte, je le ferai, et jamais plus je ne vous solliciterai.

Il parlait avec tant d'assurance ! songea Estelle. Pour lui, tout cela tenait d'une simple transaction. Et il s'imaginait qu'il en était de même pour elle.

Et à bien y réfléchir, mieux valait rester dans ce registre, décida-t-elle.

— Dix minutes, accorda-t-elle finalement, avant d'ouvrir la porte.

Juan jeta un regard autour de lui, curieux de découvrir un logement étudiant typique. Estelle n'avait rien d'une étudiante typique, pourtant.

— Vous êtes étudiante ?

— Oui.

— En quoi ?

Estelle hésita, rétive à trop révéler d'indices.

— En architecture ancienne…

— Vraiment ?

Juan fronça les sourcils, stupéfait de cette réponse.

Estelle l'invita à s'asseoir, ce qu'il fit, puis elle choisit un fauteuil de l'autre côté du petit salon. Juan alla à l'essentiel.

— Je vous ai dit que mon père était malade, dit-il, tandis qu'elle acquiesçait d'un signe de tête, et qu'il rêvait de me voir marié. Or, maintenant que sa mort approche, il souhaite plus que tout accélérer les choses.

Estelle resta silencieuse.

— Vous ai-je dit qu'il m'avait révélé avoir eu un autre fils ?

Estelle acquiesça de nouveau.

— Eh bien, il m'a juré que si je refusais d'exaucer son souhait, il laisserait sa part de l'entreprise à mon…

Non, il ne parvenait pas à appeler Luka son *frère*. Il secoua la tête avec amertume.

— Je ne peux accepter ça. Voilà pourquoi je suis ici ce soir.

Il releva le visage vers Estelle, qui aperçut la lueur de détermination qui animait son regard.

— Pourquoi ne pas demander Araminta en mariage ? suggéra-t-elle avec un détachement feint. Je suis sûre qu'elle ne demande que ça.

— J'y ai vaguement pensé, admit-il. Mais je ne crois pas qu'elle apprécierait le fait qu'il s'agisse avant tout d'un marché. Elle s'imaginerait que l'amour finirait par triompher, qu'un bébé parviendrait à me faire changer d'avis. Mais aucune chance. C'est pourquoi je suis venu vous trouver. Vous semblez avoir un certain sens des affaires.

— Mais vous ne savez rien de moi.

— J'en sais assez pour déduire que vous n'avez aucun mal à séparer sexe et sentiments.

Estelle retint son souffle. Selon toute apparence, il la considérait comme une prostituée, or, elle ne pouvait le contredire.

— Nous paraissons attirés l'un vers l'autre, poursuivit-il avec la même décontraction. Nous aimons tous les deux faire la fête, et nous partageons le même goût pour les affaires.

Mise à part la première affirmation, il avait tout faux, songea-t-elle. Car oui, elle se sentait indéniablement attirée vers lui. Sa peau frémissait encore du contact de ses mains, ses lèvres brûlaient encore du baiser échangé la veille…

Perdue dans ses pensées interdites, elle se ressaisit et s'efforça de se concentrer sur ce que Juan lui disait.

— Estelle, mon père n'en a plus que pour quelques semaines à vivre. Vous ne partiriez pas si longtemps…

— Partir ?

— Je vis à Marbella.

Elle secoua la tête avec fermeté.

— Juan, ma vie est ici. Ma nièce est malade, je dois suivre mes cours…

— Vous rentreriez avec un compte en banque bien garni.

Il l'observa, avec ses paupières fardées, ses lèvres trop rouges, sa coiffure sophistiquée. Il préférait se souvenir d'elle sur la terrasse, le visage nu, au naturel. Cela ne le concernait en rien, pourtant il refusait de la voir mener une telle vie. Soudain, apaiser son père ne constituait plus la seule raison pour laquelle il voulait qu'elle accepte de le suivre.

— Je ne vous juge pas, Estelle. Mais sachez que vous pourriez alors faire ce que bon vous semble sans plus jamais vous soucier de l'état de vos finances.

Estelle se releva et alla à la fenêtre, peu désireuse de lui montrer les larmes qui baignaient ses yeux. Un instant, au ton de sa voix, il avait presque semblé tenir à elle.

— Je ne vous demanderai pas de cuisiner pour moi ou d'organiser des dîners, n'ayez crainte, poursuivit-il. Je travaille du matin au soir. Vous n'aurez qu'à faire les boutiques pendant ce temps. Nous dînerons dehors tous les soirs. Et j'ai mes entrées dans tous les clubs de la ville. Vous ne vous ennuierez jamais.

Décidément, il n'avait pas la moindre idée de qui elle était en réalité…

— Après la mort de mon père, ajouta-t-il, nous déclarerons simplement que notre couple n'a pas supporté cette épreuve. Personne ne saura que vous vous êtes mariée pour l'argent. Le contrat le stipulera.

— Un contrat ?

— Cela va de soi, affirma Juan. Cela nous protégera tous deux. J'ai dépêché mon avocat par avion pour que nous puissions nous réunir demain et régler les formalités.

— Juan, mon frère ne voudra jamais croire à cette mascarade.

— Et pourquoi pas ? Je lui dirai que nous nous sommes rencontrés l'année dernière, quand vous étiez en Espagne. Mais bien sûr, avec l'accident de votre frère, ce n'était pas le moment de lui en parler.

De toute évidence, il avait pensé à tout. Estelle n'en revenait pas.

— Je ne veux pas lui mentir.

— Ah oui ? Vous ne lui cachez rien, c'est ça ? Est-il donc au courant pour Gordon ?

Estelle ne sut quoi répondre. Bien sûr, son frère ne savait pas tout de sa vie. Elle esquiva sa remarque par une pirouette.

— Et votre famille à vous ? Vous croirait-elle ?

— Hier, par simple précaution, j'ai dit à l'assistante de mon père avoir rencontré une jeune femme. Evidemment, je ne pensais pas encore à vous, mais ça, il l'ignore.

Tout concordait.

Juan vit le plissement qui marquait le front de la jeune femme disparaître tandis que s'évanouissaient ses derniers doutes, et il comprit que son plan allait fonctionner. Il était temps de la laisser seule réfléchir à tout cela.

— Je dois partir, annonça-t-il avant de déposer le chèque et deux cartes de visite sur la table. Voici l'adresse de l'hôtel où se tiendra la réunion avec mon avocat. L'autre comporte mes coordonnées pour aujourd'hui. Je vais en changer dès demain pour éviter les appels intempestifs d'Araminta.

Estelle restait muette de stupeur. Elle posa les yeux sur la cheminée, où trônait une photo de son frère et d'Amanda entourant la minuscule Cécilia, dont le teint diaphane trahissait sa maladie.

Elle en avait assez de se battre. Pourtant, elle peinait à croire qu'elle puisse considérer l'offre de Juan avec sérieux. Après tout, elle avait bien accepté celle de Gordon, se rappela-t-elle.

Demain, elle s'était apprêtée à annoncer à son frère qu'elle interrompait ses études et qu'elle emménageait avec eux pour les aider. Elle avait déjà pris la décision de changer sa vie, autant la changer de façon spectaculaire.

Elle alla dans la cuisine sous prétexte de préparer du café, mais avant tout pour rassembler ses esprits, au calme.

Achetée par Juan.

Estelle ferma les yeux. Cela allait à l'encontre de tout ce en quoi elle croyait. Pourtant, il ne s'agissait pas seulement d'argent

Un homme aussi beau que Juan pour premier amant… L'idée de partager son lit et sa vie, ne serait-ce que pour une courte durée, la séduisait autant que le chèque qu'il avait rédigé.

Elle laissa échapper un petit soupir, soudain saisie d'un délicieux frisson d'appréhension.

— Pas pour moi.

Elle se retourna pour voir Juan, debout dans l'encadrement de la porte, qui la regardait verser du café dans deux tasses.

— Je vous laisse réfléchir à ma proposition. Si vous ne venez pas à la réunion, j'accepterai votre décision et annulerai le chèque. Comme je l'ai dit, je change de numéro de téléphone demain. Après cela, il sera trop tard pour changer d'avis.

Jamais une telle occasion ne se représenterait, Estelle le savait.

9.

Les événements s'étaient enchaînés à une vitesse qu'Estelle peinait encore à mesurer.

Après une nuit sans sommeil, passée à peser le pour et le contre, elle avait fini par se résoudre à appeler Juan.

La réunion avec son avocat avait duré des heures ; ils avaient peaufiné les moindres détails de la cérémonie et discuté les clauses spécifiques du contrat.

Devant l'insistance de Juan à ce qu'elle fasse venir l'ensemble de sa famille, elle avait fini par lui confier à contrecœur que ses parents étaient morts. Quant à son frère et sa belle-sœur, ils ne pourraient venir en raison de la maladie de leur petite fille.

A la mention de l'accident de voiture de ses parents, elle avait bien remarqué la stupéfaction de Juan en découvrant qu'ils avaient donc connu la même tragédie. Mais elle avait préféré ne pas en dire davantage, consciente que les termes de leur contrat n'encourageaient pas à verser dans le sentimentalisme.

Non, comme lui, elle se devait de rester froide et imperturbable. Professionnelle, en somme.

A présent, elle se tenait sur la terrasse du luxueux appartement de Marbella, où elle était arrivée deux jours plus tôt, et admirait la marina dans la lumière matinale. Tout ici était à couper le souffle. Chaque pièce, à l'exception de la salle de cinéma, offrait une vue spectaculaire sur la Méditerranée. A eux seuls, sauna et Jacuzzi faisaient presque la taille de son logement d'étudiante, et le dressing spécialement aménagé pour elle contenait plus de vêtements qu'elle n'en avait jamais possédés. Seule anomalie : les placards et le réfrigérateur de la cuisine étaient vides.

— Appelle le traiteur si tu ne veux pas sortir, lui avait suggéré Juan. On te livrera tout ce que tu désires.

L'unique élément un peu familier trônait sur le mur, dans un cadre magnifique : une photo d'eux deux prise lors du mariage écossais. A bien y réfléchir, Estelle avait le vague souvenir d'un flash qui l'avait éblouie au moment où elle riait d'une plaisanterie de Juan. Le photographe les avait sans doute considérés comme un couple, et il fallait reconnaître que le cliché était réussi : elle arborait un sourire rayonnant, et lui semblait parfaitement à son aise, comme s'il avait lui-même fait en sorte que la photo soit prise à cet instant précis.

D'ailleurs, se pouvait-il qu'il se soit arrangé avec le photographe pour que celui-ci exécute ce portrait d'aspect pourtant si spontané ? Maintenant qu'elle savait que Juan ne reculait devant rien pour obtenir ce qu'il souhaitait, Estelle avait de quoi s'interroger. Du reste, en scrutant plus attentivement l'image, elle se rendit compte qu'on avait estompé son maquillage et diminué la profondeur de son décolleté.

Cette retouche lui rappela aussitôt ce qu'elle incarnait aux yeux de Juan : une fille légère et vénale, qu'on pouvait acheter avec un simple chèque. Juan s'assurait à présent d'atténuer ce côté vulgaire afin qu'elle se conforme davantage à l'idée qu'il se faisait d'une épouse digne de porter son nom.

Sans cesse, elle devait s'assurer de jouer le rôle de cette femme-là. Une femme qui devait feindre le ravissement devant sa nouvelle garde-robe et prétendre adorer danser jusqu'à l'aube dans les boîtes de nuit.

Mais ce n'était pas ce qui occupait en priorité ses pensées ce matin, tandis qu'elle regardait les navires luxueux tanguer sur les flots scintillants en se demandant lequel d'entre eux appartenait à Juan.

Ce soir, elle serait à bord de *son* yacht.

Cette nuit, elle partagerait *son* lit.

Estelle ne savait ce qui la terrifiait le plus : perdre sa virginité ou que Juan découvre qu'elle n'avait jamais couché avec un homme auparavant.

Peut-être ne remarquerait-il rien ? se dit-elle sans espoir. Mais elle n'avait aucune chance de déployer autant d'expertise au lit que ce que Juan attendait d'une femme comme elle.

— Un appel pour vous, la prévint Rosa, la domestique, la tirant de ses sombres pensées.

Amanda patientait à l'autre bout du fil.

— Comment ça se passe ? s'enquit celle-ci avec enthousiasme.

— Je suis morte de peur, lui avoua Estelle, contente de pouvoir, pour une fois, parler avec sincérité.

— C'est normal, la rassura Amanda. Quelle future mariée ne le serait pas ? Mais je suis certaine que Juan prendra bien soin de toi.

De toute évidence, le charme de ce dernier avait agi sur son frère et sa belle-sœur. C'est lui-même qui avait tenu à se présenter au téléphone et à leur expliquer la situation. Il n'avait eu aucun mal à les convaincre. Vu la force de persuasion qui le caractérisait, Estelle ne s'en trouvait pas si surprise.

— Comment va Cécilia ?

— Elle dort encore.

Il était 9 heures en Angleterre, et Cécilia s'était toujours réveillée aux aurores. Elle dormait de plus en plus ces derniers temps, mais si ce fait inquiétait Amanda, celle-ci s'efforçait toujours de rester positive et enjouée.

— Je vais lui passer une jolie tenue pour ton mariage et je t'enverrai la photo, lui assura celle-ci. Même si nous ne pouvons pas venir, sache que toutes nos pensées sont avec toi aujourd'hui.

Estelle la remercia et se retourna alors au bruit de

la porte qui s'ouvrait derrière elle. Elle faillit lâcher le combiné à la vue de son frère.

— Andrew !

A l'autre bout du fil, Amanda éclata de rire.

— Ah ! Il est enfin arrivé ! Je suis désolée de ne pas être là aussi, Estelle. Mais avec Cécilia…

— Merci, murmura Estelle, soudain submergée par l'émotion.

— Je crois qu'elle est contente de me voir, intervint Andrew en s'emparant du téléphone avant de raccrocher après un bref échange avec sa femme.

— Je n'arrive pas à croire que tu es venu ! s'exclama Estelle.

— Juan a pensé qu'il était préférable que tu ne sois pas seule. Et puis, j'avais très envie de te mener à l'autel. Il m'a assuré qu'en cas d'urgence avec Cécilia, son jet personnel me ramènerait en deux heures.

Estelle peinait à croire que Juan ait fait tout cela pour elle. Jusque-là, elle n'avait pas pris la mesure de la peur que lui inspirerait ce mariage. Mais Juan, lui, y avait pensé.

— J'ai apporté quelque chose pour toi, dit Andrew.

Estelle se mordit la lèvre, priant qu'il n'ait pas dépensé de l'argent qu'il n'avait pas pour un mariage qui tenait de l'imposture.

— Te souviens-tu de ça ? lui demanda-t-il en ouvrant un boîtier. Papa les avait offertes à maman le jour de leur mariage.

Deux petites boucles d'oreilles en diamant scintillaient dans leur écrin. Estelle se sentit rongée de culpabilité.

— Assez de larmes, lui ordonna Andrew avec douceur. Allons, préparons-nous pour ce mariage.

Juan se laissait rarement gagner par la nervosité, mais tandis qu'il se tenait devant l'autel à attendre sa future épouse, il sentait une vague d'appréhension monter en lui.

Son père avait semblé croire à son histoire, et il se trouvait à présent au premier rang, aux côtés d'Angela, son éternelle assistante.

Un éclair de rage le traversa. Comment cette femme avait-elle le culot de se montrer là ? pesta-t-il en lui-même. Encore heureux qu'elle n'ait pas amené son fils caché avec elle !

Puis, il perçut le murmure qui parcourut l'assemblée et se retourna. Sa rage s'évanouit en un instant. Une seule pensée occupait maintenant son esprit.

Estelle était splendide.

Il avait craint que, livrée à elle-même, elle ne se rue sur le fond de teint et le mascara et arrive devant l'autel juchée sur des talons trop hauts.

Jamais il n'aurait imaginé une apparition aussi magnifique.

Sa robe crème en dentelle andalouse soulignait avec grâce ses courbes parfaites. Elle portait un bouquet de fleurs d'oranger, comme les mariées espagnoles, et arborait un discret rouge à lèvres corail, en parfaite harmonie avec la teinte claire de son visage. Depuis ses cheveux bruns relevés en un chignon lâche, jusqu'à ses boucles d'oreilles d'une élégante simplicité, il ne trouvait rien à changer.

Elle paraissait nerveuse, et il plaisanta pour la détendre.

— Tes talents de couturière laissent à désirer.

Estelle jeta un œil à sa chemise et ils échangèrent un sourire complice. La tradition voulait que la mariée brode un ornement sur la chemise de son époux.

Juan s'était attendu à y trouver un S, comme « Sanchez », mais en s'habillant ce matin, il y avait découvert avec étonnement un drôle de petit ananas. Il n'avait toujours pas la moindre idée de sa signification, mais se félicita de la voir enfin sourire tandis que commençait la cérémonie.

Ils s'agenouillèrent et, tout au long de l'office, il lui traduisit les paroles du prêtre à l'oreille, d'une voix douce et profonde qu'elle seule pouvait entendre.

— *El lazo*, l'informa-t-il alors que le prêtre déposait

sur leurs épaules une sorte de chapelet de fleurs d'oranger. Il symbolise la pérennité du mariage.

Les joues d'Estelle s'enflammèrent devant une telle hypocrisie. Elle tremblait de honte de participer à cette mascarade. Un vent de panique monta en elle, mais avec une fermeté mêlée de douceur, Juan lui saisit la main et plongea ses yeux noirs dans les siens, comme s'il devinait son trouble.

— A présent, lui dit-il de la même voix douce et rassurante, le prêtre veut que tu lui montres les *Arras*.

Elle tendit la petite bourse qu'il lui avait donnée à son arrivée dans l'église et qui contenait treize pièces, symbole de l'engagement financier de l'époux envers sa promise.

C'était la seule part de vérité de cette cérémonie, songea-t-elle avec amertume, tandis que le prêtre les bénissait.

Pourtant, tout cela semblait si vrai…

Le service prit fin et ils sortirent de l'église sous les hourrahs, accueillis par les jets de fleurs et de riz que leur lançaient les invités. La main de Juan, chaude et puissante, tenait fermement la taille d'Estelle.

Une série de petites explosions la fit alors sursauter.

— Des pétards, lui expliqua Juan. Désolé, j'ai oublié de te prévenir.

Lui aussi n'allait pas manquer d'exploser à son tour, songea-t-elle, quand ils allaient se retrouver au lit et qu'il découvrirait sa virginité. Mais il était désormais bien trop tard pour faire marche arrière.

La fête fut un véritable succès.

Comme Juan l'avait prévenue le soir de leur première rencontre, il n'y eut pas de discours mais simplement de la musique, de la danse et de la joie.

Estelle fit la connaissance de la famille de son époux, consciente que lorsque le secret du père paraîtrait au grand jour, l'amitié que tous affichaient en cet instant volerait sans doute en éclats.

— Mon fils a un goût très sûr, lui dit Antonio en l'embrassant sur les deux joues.

Estelle l'avait très brièvement rencontré la veille, et Juan s'était chargé de répondre à la plupart de ses questions, mais elle comme lui n'avait pas manqué d'apercevoir la lueur de doute qui éclairait sa pupille. Pourtant, à présent, le doute semblait se dissiper.

— Je suis ravi de voir mon fils heureux, ajouta le vieil homme avec une sincérité manifeste.

Durant leur première danse en tant qu'époux, alors que l'ensemble des convives les observait, Juan lui sourit avec douceur.

— Te souviens-tu de notre première danse ?

Comment aurait-elle pu l'oublier ? songea-t-elle, les joues en feu.

D'autres couples se joignirent à eux sur la piste. La musique se fit plus douce et sensuelle, et il effleura son bras. Elle frissonna à l'idée de ce qui l'attendait plus tard, se demandant si ces yeux, pour l'heure si doux et bienveillants, se chargeraient d'éclairs quand la vérité éclaterait. Mieux valait désamorcer au plus tôt sa colère…

— Juan…, commença-t-elle d'une voix hésitante. J'ai peur pour ce soir.

— Pourquoi cela ? s'étonna-t-il. Je vais prendre soin de toi, ne t'inquiète pas.

Et il n'y manquerait pas, se dit-il, surpris de cette soudaine envie de la protéger. Après tout, elle n'avait pas eu une vie facile. Il resserra les bras autour de sa taille et perçut de nouveau la tension qui l'agitait.

— Puis-je te demander pourquoi, chuchota-t-il au creux de son oreille, tu as brodé un ananas sur ma chemise ?

— C'est un chardon ! L'emblème de l'Ecosse !

Elle lui adressa un clin d'œil rieur, et il le lui rendit. Enfin, elle semblait plus détendue.

— Depuis ce matin, je me creuse la tête pour essayer de comprendre sa signification.

Elle se mit alors à rire franchement, et il se surprit à rire à son tour. Il baissa la tête et l'embrassa.

Il n'y avait rien d'anormal à cela, bien sûr. Quel époux n'embrassait-il pas sa femme ?

A maintes reprises depuis qu'il lui avait soumis sa proposition, elle avait eu des doutes — sur la moralité de cette union, surtout —, mais alors qu'il l'embrassait et qu'elle sentait la chaleur de ses lèvres sur les siennes, la caresse de sa main au creux de ses reins, elle se demanda si elle serait capable d'aller jusqu'au bout. Et il n'était plus ici question de sa virginité. A présent, elle avait de sérieuses craintes pour son cœur.

Sans doute était-ce la musique, la présence de son frère, le baiser de Juan… Tout cela, se dit-elle, justifiait son trouble. Comme si tout cela était vrai. Comme s'il s'agissait bien… d'amour.

Quelques instants plus tard, elle s'excusa et alla aux toilettes afin de rassembler ses esprits. Mais une mariée ne peut guère se cacher le jour de son mariage.

— Estelle ?

Elle se retourna au son de la voix féminine.

— Je suis Angela. L'assistante du père de Juan.

— Oui. Juan m'a parlé de vous, répondit-elle avec prudence.

— J'imagine qu'il n'a pas été tendre à mon égard, continua la femme, les yeux brillant de larmes. Estelle, je n'ai jamais vu Juan plus heureux qu'aujourd'hui. Mais sachez que malgré ce qu'il pense de moi, je tiens beaucoup à lui. J'aimerais qu'il vienne nous rendre visite. Je veux que nous formions une véritable famille, même si cela ne doit pas durer.

— Vous auriez pu vous y prendre il y a des années, répliqua Estelle, dans l'espoir que sa réponse était celle que Juan aurait attendu de sa fidèle épouse.

— Je veux qu'il se réconcilie avec son père tant qu'il est

temps. Je ne veux pas qu'il éprouve des remords ensuite. Je sais combien il se sent responsable de la mort de sa mère.

Estelle resta interdite. Elle connaissait si peu l'histoire de leur famille. Pourquoi Juan aurait-il dû se sentir coupable ? Il n'était qu'un enfant au moment de la mort de sa mère.

— J'ai toujours aimé Juan, poursuivit Angela. Je l'ai toujours considéré comme un fils.

— Alors, pourquoi avoir attendu si longtemps avant de lui parler ? s'écria Estelle, soudain furieuse. Si vous tenez tant à lui…

Elle s'interrompit. Elle n'avait aucun droit d'intervenir dans cette affaire. Son rôle consistait à faire en sorte que Juan obtienne sa part légitime d'héritage, rien d'autre. Elle devait garder cela à l'esprit.

Elle se contenta donc de tourner les talons, et sortit des toilettes pour se retrouver nez à nez avec Juan.

— Angela voulait me parler de toi, lui avoua-t-elle aussitôt. Je ne sais pas si j'ai bien répondu…

— Nous en discuterons plus tard, lui répondit Juan, qui avait vu Angela entrer à la suite d'Estelle. Pour l'heure, nous devons remercier nos invités.

— Une fête très réussie, les félicita Andrew, en prenant sa sœur dans ses bras avant de serrer la main de son nouveau beau-frère avec chaleur. Prends bien soin d'elle, Juan.

— N'ai aucune inquiétude à ce sujet, lui assura celui-ci.

— Je vous souhaite une superbe lune de miel.

Un chauffeur l'aida à grimper dans le taxi et à plier son fauteuil, et ils se firent leurs derniers adieux.

Mis à part le personnel, il n'y avait plus personne dans la salle, à présent, sauf Juan et Estelle. Et comme la musique jouait toujours, ils dansèrent une dernière fois sur la piste.

— La présence d'Andrew m'a fait du bien, murmura-t-elle, les mains passées autour de son cou.

— Je le savais, répondit Juan avant de déposer un baiser au creux de son cou. Mais assez parlé des autres.

Estelle déglutit avec peine. D'une main, Juan suivait la ligne de son cou, et de l'autre, il effleurait la rangée de petits boutons qui fermaient son bustier jusqu'à la base de ses reins.

— Juan…, commença-t-elle, peinant pour ne pas se laisser enivrer par la sensation de ses lèvres sur ses épaules. Je n'ai jamais couché avec un homme…

Il émit un gémissement grave contre son épaule et l'attira à lui, jusqu'à ce qu'elle sente toute l'ampleur de son excitation. De toute évidence, il pensait qu'elle disait cela pour l'émoustiller.

— Je suis sincère, insista-t-elle, la voix tremblante. Tu seras mon premier amant.

— Alors, viens, lui chuchota-t-il de sa voix profonde. Faisons comme si c'était la première fois…

10.

On les reconduisit à la marina au petit matin.

Alberto, le skipper, les accueillit à bord et les présenta au personnel navigant. Mais Estelle ne retint aucun prénom, à peine consciente du luxe des lieux, tant ce qui allait suivre la tourmentait.

Juan finit par congédier ses employés et s'approcha d'elle pour lui prendre des mains sa coupe de champagne.

— Demain, je t'offrirai une visite en bonne et due forme du bateau. Mais pour l'instant…

Plus d'issue possible. Il l'attira à lui et enfouit sa bouche dans son cou, avant de défaire d'un geste leste et sûr le nœud qui retenait son bustier.

Il s'attendait à trouver une guêpière, ou toute autre pièce de lingerie supplémentaire à ôter, et il émit un sourd gémissement de satisfaction quand apparurent les seins qui hantaient ses pensées secrètes depuis des jours.

— Juan, quelqu'un pourrait venir…

Estelle l'étonnait à croire qu'un membre de l'équipage puisse les surprendre. Et puis, le personnel de bord avait connu nombre de fêtes décadentes — une nuit de noces paraissait bien sage comparée à ce qui avait lieu d'habitude ici.

— Oui, *toi*, lui murmura-t-il d'un ton amusé. Allons, personne ne nous dérangera.

Il baissa la tête pour prendre entre ses lèvres la pâle aréole, qui réagit aussitôt sous la caresse. Mais tandis qu'il prenait l'autre sein en main, elle chercha à le repousser.

D'abord surpris par sa réticence, il se souvint de leur petit jeu.

— Oui, bien sûr, susurra-t-il, sourire aux lèvres. Tu as peur…

Il la souleva et la porta vers la cabine principale sans cesser de l'embrasser. Il la déposa à terre et entreprit de lui ôter sa robe, couvrant chaque parcelle de peau dévoilée d'une pluie de baisers qui éveilla en elle un feu dévorant.

Après la robe, il lui enleva ses chaussures, ses bas. Et comme sa bouche s'attardait à présent sur le tissu soyeux de sa culotte, Estelle crut défaillir de plaisir.

— Juan…

Ses mains cherchaient à l'arrêter, alors que ses soupirs l'encourageaient à continuer.

— J'ai tellement envie de toi ! chuchota-t-il.

Il lui ôta sa culotte et s'agenouilla entre ses cuisses où sa langue experte alla trouver le bouton secret de son plaisir.

— Juan…, gémit-elle, les mains nouées dans ses cheveux, perdue entre extase et désespoir. Je ne t'ai pas menti. Je n'ai jamais couché avec un homme…

Visiblement, il refusait de la croire, et tandis que la jouissance l'envahissait, Estelle pria pour qu'il ne s'aperçoive de rien. Car malgré son inexpérience, son corps réagissait avec aisance. Elle se cambra contre sa bouche, en proie à la plus délicieuse des sensations.

Juan n'en pouvait plus. Il se redressa et ôta sa veste d'un geste impatient.

Le souffle court, tremblant de désir, elle lui défit les boutons de sa chemise et découvrit son torse voilé d'une toison brune. Il renversa la tête en arrière tandis qu'elle l'explorait de ses mains fébriles et lui dénouait sa ceinture.

Son érection s'affermit encore sous le passage léger de ses doigts.

— Estelle…, parvint-il tout juste à articuler.

Enfin, elle lui défit la fermeture Eclair et le libéra, glissant les doigts le long de son membre tendu de désir. L'idée qu'il pénètre en elle la terrifiait autant qu'elle l'envoûtait.

Ils échangèrent un long baiser, profond et sensuel, leurs langues s'entremêlant pour ne plus en former qu'une, puis il l'étendit sur le lit et lui entrouvrit lentement les cuisses.

— Doucement, supplia-t-elle, frémissant de peur et d'excitation mêlées.

— Il est bien trop tard pour cela.

Trop tard pour s'interrompre, trop tard pour se montrer doux. Mais alors qu'il s'enfonçait en elle, il l'entendit étouffer un cri de douleur et regretta aussitôt ses paroles.

Juan se figea. Hissé sur ses avant-bras, il la vit reprendre tant bien que mal sa respiration puis, avec d'infinies précautions, commença à se retirer.

Estelle avait naïvement pensé qu'il ne remarquerait rien, mais réalisait à présent qu'elle avait eu tort. Pourtant, elle le supplia de rester, s'efforçant de s'habituer à la douleur brûlante de la déchirure.

Peu à peu, elle parvint à se détendre, son corps s'habituant à le sentir en elle.

— Ne t'arrête pas.

— Sûre ?

Juan ne demandait qu'à continuer, mais refusait de la faire souffrir. Il entra un peu plus profondément en elle, le souffle court, tandis que, les mains sur ses fesses, elle le guidait et lui indiquait le rythme à prendre. Jamais aucune femme n'avait osé agir ainsi avec lui.

Repoussant à plus tard la question qui lui brûlait les lèvres, il s'abandonna à l'ivresse que lui procurait leur étreinte lente et enflammée. La bouche sur la sienne, il perçut la respiration d'Estelle qui se faisait plus rapide, son bassin qui se soulevait à mesure que le plaisir montait en elle, la pression de ses mains sur ses fesses, et il ne put se retenir davantage.

En un mouvement fougueux, il la pénétra plus profondément encore. Estelle se cambra tandis que chaque assaut la transportait d'extase, lui arrachant des soupirs de volupté.

Il allait vite, à présent, et elle noua les jambes autour de sa taille, stupéfaite de la rapidité avec laquelle son propre corps s'acclimatait au sien.

L'orgasme qui la submergea ne ressemblait à rien de ce qu'elle avait connu. Un cri rauque sortit de sa gorge alors qu'à son tour, il jouissait en elle, étouffant son gémissement de ses lèvres.

Ils restèrent étendus l'un contre l'autre un long moment sans rien dire, s'efforçant de recouvrer leur souffle, abasourdis par l'intensité de leur union.

Estelle finit par tourner le visage vers Juan, prête à subir un interrogatoire, une demande d'explication, mais celui-ci se contenta de se tourner vers elle et de l'attirer dans ses bras.

— J'aurais dû le deviner, murmura-t-il.

— J'ai essayé de te prévenir.

Il acquiesça d'un hochement de tête.

— Nous en parlerons demain.

Pour l'heure, ils s'enlacèrent et, dans les bras l'un de l'autre, épuisés et comblés, ils sombrèrent dans le sommeil.

A son réveil, Estelle ne sut plus où elle se trouvait pendant quelques secondes. Elle avait mal partout.

— Enfin réveillée ?

Elle se retourna et retint son souffle à la vue de Juan, une serviette nouée autour de la taille, le torse marqué de rougeurs là où elle se souvenait à présent l'avoir mordu.

Il prit une gorgée de jus de fruits que l'on avait apparemment déposé sur la table basse pendant leur sommeil, et elle aperçut alors les griffures sur son dos, qui témoignaient de la passion de leurs ébats.

— Je dois prendre une douche, parvint-elle tout juste à articuler.

— D'accord. Prend une douche et déjeune, puis nous parlerons.

— Déjeuner ?

— Il est presque 14 heures, lui indiqua-t-il avec un sourire amusé.

Estelle prit une gorgée de jus de pamplemousse et fila dans la salle de bains. Lorsqu'elle avait appris qu'ils passeraient leur lune de miel sur un bateau, elle s'était attendue à y trouver des installations sanitaires rudimentaires. Au lieu de cela, elle découvrait une salle de bains luxueuse, digne d'un véritable palace.

Mais aujourd'hui, elle n'y prêtait garde, l'esprit occupé par une seule pensée.

Son médecin lui avait rappelé l'importance de prendre sa pilule à l'heure tous les jours. Mais avec son réveil tardif, elle ne savait plus très bien à quel horaire s'en tenir.

La tête lui tournait. Juan allait sans nul doute vouloir reparler de cette nuit, et elle n'avait pas encore réfléchi à ce qu'elle allait lui dire.

Elle prit une douche rapide, se maquilla et se coiffa puis revint dans la chambre où, à son grand soulagement, Juan ne se trouvait pas. Elle choisit un maillot deux pièces parmi ceux qu'il lui avait achetés, et se drapa dans un paréo lilas avant d'enfiler ses espadrilles.

Soudain, son regard horrifié s'arrêta sur le lit.

Affolée à l'idée que la gouvernante découvre les taches de sang, elle entreprit d'enlever les draps avec précipitation.

— Que fais-tu ?

— Je fais le lit.

— Laisse ça, lui répondit-il d'une voix clairement impatiente. Le personnel s'en chargera. Je vais plutôt te montrer les lieux.

— Oh ! je préfère les découvrir par moi-même, répliqua-t-elle en passant devant lui.

— Tu ne pourras pas me fuir éternellement, la prévint-il avant de lui attraper le poignet. Mais ce dont nous devons parler peut attendre. Je ne veux pas que mon personnel doute de l'authenticité de cette lune de miel.

— Ne fais-tu pas confiance à tes employés ? s'étonna-t-elle, surprise qu'un homme de son rang ne puisse pas acheter facilement le silence de son entourage.

— Je ne fais confiance à personne, répondit-il avec un regard appuyé dans sa direction. Et pour cause…

Elle le suivit sur le pont supérieur, où elle fut aveuglée un instant par le soleil.

— Où sont tes lunettes solaires ? lui demanda-t-il.

— En bas. Je retourne les chercher.

Elle fit demi-tour, mais il la retint par le bras et demanda à l'un des employés de les lui apporter. Puis, il l'attira à lui et l'embrassa très lentement.

— Nous sommes ici pour deux jours, ma chérie. Autant profiter l'un de l'autre au maximum.

Estelle, le souffle coupé, resta muette. Une domestique lui tendit ses lunettes, puis Juan commença la visite.

Le salon qu'elle avait à peine remarqué la veille se révélait immense, doté de canapés bas et d'un écran de cinéma. Estelle fit de son mieux pour paraître enjouée.

— C'est l'idéal pour regarder des films, dit-elle avec une légèreté feinte.

— Voici la salle de sport, annonça-t-il ensuite en ouvrant une porte. Mais tu n'en auras pas besoin. Je veillerai à ce que tu fasses beaucoup d'exercice.

Ce ne fut qu'à cet instant, une fois la porte fermée derrière eux, qu'il se déchargea de la frustration qui le tenaillait depuis des heures.

— Si tu crois que nous allons regarder bien sagement des films, main dans la main…

— Je sais ce que tu attends de moi.

— Eh bien, ne l'oublie pas.

Juan s'était réveillé vers midi d'un sommeil réparateur, le seul sans cauchemar depuis des jours. Mais le bref sentiment de paix qui l'avait alors habité s'était évaporé dès qu'elle avait bougé dans ses bras, les draps froissés dévoilant ses seins ronds et fermes, pressés contre son torse. Son ventre doux à la peau si claire… La trace rouge sur l'intérieur de sa cuisse.

Il avait voulu la recouvrir du drap, mais ce geste l'avait troublée dans son sommeil, et il n'avait plus osé bouger, réprimant l'envie de l'attirer à lui et de l'embrasser. De lui faire de nouveau l'amour. Il avait senti la chaleur de sa paume sur son torse, hésitant un instant à la faire descendre plus bas… Mais il s'était ravisé.

Il lui avait ôté la main de son buste, puis avait observé son visage un long moment. Le voile de taches de rousseur sur son nez, ces lèvres pleines… Comment une si jolie personne pouvait-elle mentir ainsi ?

A présent, il se tenait dans la salle de sport, bien décidé à mettre les choses au clair.

— Je voulais une femme rompue à mon style de vie, commença-t-il. Une femme expérimentée. Notamment au lit.

Il vit ses joues devenir cramoisies.

Loin de lui l'idée de la mettre mal à l'aise. Mais cette petite mise au point lui semblait nécessaire : ils devraient cohabiter pendant plusieurs semaines et il ne pouvait risquer qu'Estelle engage ses sentiments. Il fallait lui rappeler les règles du jeu, la tenir à distance. Il ne voulait plus jamais avoir à blesser une femme.

— Que dirais-tu d'un Jacuzzi ? suggéra-t-il.

Elle perçut la lueur de défi dans ses yeux, sut qu'il la testait, et lui rendit son sourire.

— D'accord !

Elle le suivit sur le pont, s'efforçant d'ignorer le fait qu'il s'était entièrement dénudé. Elle ôta ses espadrilles, son paréo.

— Enlève ton haut.

Elle hésita, troublée par sa requête. Agacé par sa pruderie, Juan se surprit à souhaiter la mort imminente de son père, juste pour que tout ceci prenne fin au plus vite.

— Enlève ton haut, répéta-t-il.

Si elle croyait qu'elle était là pour admirer le paysage, ou pour que l'un et l'autre fassent mieux connaissance, elle allait vite se rendre compte de son erreur. Estelle l'avait peut-être pris pour un imbécile, mais il allait lui montrer qu'il n'en était rien !

Le visage enflammé, elle défit enfin le fermoir de son soutien-gorge d'une main tremblante, puis s'immergea presque aussitôt dans l'eau bouillonnante avant de finir de l'ôter et de le placer sur le rebord.

— Bonjour ! les salua le skipper.

Les poitrines dénudées étaient légion sur le navire de Juan Sanchez Fuente, et son skipper ne montrait aucune gênc à regarder Estelle droit dans les yeux, comme s'il n'y avait rien de plus ordinaire. Celle-ci, en revanche, semblait au bord des larmes malgré son sourire forcé, observa Juan.

— Nous mettons le cap vers Acantilados, les informa Alberto, avant de se tourner vers Juan. Souhaitez-vous y faire escale ce soir ? Le chef s'apprête à préparer le dîner et vous demande si vous aimeriez le prendre sur la plage ?

— Nous dînerons à bord, décida Juan. Nous irons ensuite à terre en jet-ski.

— Entendu, acquiesça Alberto, qui se tourna alors vers Estelle. Avez-vous des préférences pour le dîner ? Une envie particulière à transmettre au chef ?

— Non, non. Tout m'ira très bien.

Elle avait prononcé ces mots avec un effort visible.

— Vous allez voir, cette baie est magnifique, continua Alberto avec engouement. Elle se situe non loin d'une zone plus construite, mais reste pratiquement vierge par endroits.

Il leur souhaita un bon après-midi, puis s'éclipsa.

— Les terres vierges sont rares de nos jours..., murmura Juan lorsqu'ils furent de nouveau seuls.

Estelle ne dit rien.

Il lui tendit le soutien-gorge, agacé de céder, mais rétif à l'idée de l'humilier. Elle semblait minée, constata-t-il en silence, non sans une pointe de culpabilité, tandis qu'il la regardait remettre son haut humide. Mais il se souvint alors de sa peur, la veille au soir, quand elle l'avait supplié de se montrer doux. Une demande qu'il avait ignorée...

Il avança vers elle et la tourna pour l'aider à rattacher

les bretelles dans son dos. Puis, sans pouvoir s'expliquer son geste, il la prit dans ses bras et la tint jusqu'à ce qu'elle cesse de trembler.

Il déposa alors un baiser sur son épaule et termina enfin sa phrase commencée plus tôt.

— … mais celle que j'ai découverte m'a émerveillé.

11.

Le soir venu, ils arrivèrent dans la baie d'Acantilados sous un ciel embrasé de rose, le blanc des falaises scintillant de mille feux tandis qu'ils jetaient l'ancre dans une crique tranquille.

— Les plages sont superbes ici, leur indiqua Alberto. Et les touristes le savent. Mais celle-ci ne possède pas d'accès par la route.

Puis il se tourna vers Juan.

— Les jet-skis sont prêts.

Ce ne fut que lorsqu'il s'apprêtait à monter sur l'engin que Juan se souvint et se tourna vers Estelle, dont le visage s'était vidé de ses couleurs. Comment avait-il pu ne pas y penser ? se fustigea-t-il intérieurement.

— Estelle, je suis désolé. J'avais oublié l'accident de ton frère…

— Ce n'est rien, assura-t-elle. Il faisait l'imbécile, il allait trop vite… Il nous suffira d'être prudent.

En organisant cette virée en jet-ski, Juan n'avait pas imaginé se montrer prudent. Il adorait l'excitation que lui procurait la vitesse, et avait brûlé de ressentir ce frisson avec Estelle.

— Entendu, lui dit-il avec douceur, la main tendue vers elle. Monte avec moi.

Ils allèrent jusqu'à la plage à une allure bien plus raisonnable que ce qu'il avait prévu initialement.

La tête posée contre son dos, Estelle serrait fort sa taille alors que le jet-ski fendait l'écume des vagues. Son cœur battait à tout rompre, tant par la peur que lui inspirait le véhicule que par les questions qu'il ne tarderait pas à lui poser. Ou simplement par l'excitation de cette virée en mer.

Faire l'amour avec Juan s'était révélé la plus merveilleuse des expériences et à présent, tandis que la brise iodée et le sel de l'océan imprégnaient sa peau, elle ne regrettait rien. Même pas de lui avoir menti. Sentir le plaisir de Juan quand il était entré en elle restait le plus incroyable des souvenirs.

Pour l'instant, toutefois, il fallait se montrer forte et le convaincre enfin qu'elle était à la hauteur de la mission qu'il lui avait confiée.

Ils ralentirent à l'approche du rivage, et elle se détacha de lui à contrecœur pour mettre pied à terre.

— Quelle splendeur ! s'écria-t-elle devant les falaises. Tu as vu ça ?

Juan acquiesça d'un bref signe de tête, mais il semblait préoccupé par d'autres pensées. De manière inexplicable, la vue des falaises paraissait assombrir son humeur.

— Que t'a dit Angela l'autre soir, au mariage ? lui demanda-t-il à brûle-pourpoint.

Elle s'était attendue à un interrogatoire en règle sur son inexpérience, et fut quelque peu déroutée par cette question imprévue. Mais après tout, Juan n'éprouvait qu'un intérêt limité pour elle, se rappela-t-elle.

— Elle m'a suppliée de t'encourager à faire la paix avec ton père tant qu'il est encore vivant. Elle aimerait que nous leur rendions visite, à elle et à son fils.

— Il est trop tard pour jouer les familles heureuses.

— Elle m'a assuré qu'elle ne voulait pas que tu te sentes coupable comme tu l'avais été pour la mort de ta mère…

— La culpabilité devrait être partagée, répliqua-t-il sans s'étendre davantage.

Ils s'assirent sur le sable. Au large, les lumières du bateau se reflétaient sur l'eau turquoise, et l'on apercevait les membres de l'équipage s'activer pour préparer le dîner sur le pont. Estelle peinait à croire à l'existence d'un tel luxe. Un luxe qu'elle découvrait pour elle-même non sans déplaisir, certes. Mais le seul luxe qu'elle désirait par-dessus tout était celui de mieux connaître Juan.

— Je ne savais pas quoi lui répondre, finit-elle par lui avouer. J'ignore encore trop de choses de ta famille, et de toi.

— Eh bien, soit ! Je vais te dire ce que tu as besoin de savoir.

Il réfléchit un instant à la meilleure façon de présenter les choses, puis se lança.

— Mon grand-père maternel a commencé par monter un petit hôtel puis, quand les affaires se sont mises à marcher, il a acheté des terres au nord, à San Sebastian.

— C'est de là que vient Angela, n'est-ce pas ?

Juan acquiesça d'un signe de tête.

— A la mort de son beau-père, mon père a repris les rênes de la branche de San Sebastian. A ma naissance, la santé de ma mère a périclité. Aujourd'hui, je sais qu'il s'agissait en fait d'une dépression. C'est à cette époque qu'il a commencé à coucher avec Angela.

— Comment as-tu appris tout ça ?

— Mon père me l'a raconté le jour même où je t'ai rencontrée.

Il s'interrompit de nouveau, secoua la tête, puis reprit d'une voix plus grave, lasse et amère.

— Quand Angela est tombée enceinte, mon père s'est senti si coupable qu'il a tout raconté à ma mère, dans l'espoir qu'elle lui pardonne. Après une scène terrible, elle lui a dit de partir, et c'est ce qu'il a fait : Angela était alors sur le point d'accoucher. Il pensait que ma mère irait tout révéler à ses parents, mais ça n'a pas été le cas : elle a trouvé la mort dans un accident de voiture. A son retour, mon père a découvert que personne ne savait qu'il avait désormais un autre fils. Au lieu de le rejeter comme il l'avait craint, la famille de ma mère l'a accueilli de nouveau au sein de l'entreprise.

— Angela avait l'air de penser que tu t'en voulais pour la mort de ta mère…

— Tu n'as nul besoin d'en savoir davantage, déclara-t-il, péremptoire. A ton tour.

— Que veux-tu savoir ?

— Pourquoi m'as-tu menti ?

— Je ne t'ai pas menti.

— De la même façon que mon père ne m'a pas menti quand il a omis de mentionner l'existence d'un autre fils ? Qu'Angela, quand elle ne m'a pas révélé que Luka était mon frère ? Je vois. Alors, s'agirait-il plutôt d'une tromperie sur la marchandise ?

Il la vit serrer les mâchoires, le regard perdu à l'horizon.

— Je voulais une femme expérimentée.

— Désolée si tu t'attendais à plus de prouesses…

— Je ne parlais pas de sexe ! s'exclama-t-il. Je voulais une femme qui sache gérer ce genre d'alliance. Qui respecte sa part du contrat. Qui ne tombe pas amoureuse…

— Que vas-tu t'imaginer ? s'emporta-t-elle à son tour. Pourquoi tomberais-je amoureuse d'un homme froid et insensible qui ne pense qu'en termes de rentabilité et ne recherche pas la moindre affection ?

Elle enfonça les pieds dans le sable, envahie d'une rage nouvelle. Avec suffisamment de conviction, elle pouvait presque croire à ses propres paroles et ignorer que, la veille au soir, elle s'était endormie dans ses bras, la tête pleine de pensées indicibles. Les craintes de Juan avaient peut-être de quoi être fondées, finalement…

Mais hors de question de lui montrer le moindre signe de faiblesse, se rappela-t-elle en silence.

Elle se tourna et lui fit face, une expression déterminée sur le visage.

— Je suis ici pour l'argent, Juan. Je sors avec toi pour la même raison que je suis sortie avec Gordon.

Juan sembla réfléchir un instant, puis fronça les sourcils, confus.

— Mais si tu étais vierge, que faisais-tu avec Gordon ?

— Je ne couchais pas avec lui. Je remplaçais juste Ginny.

— Allons, tout le monde connaît la réputation de ce vieux séducteur !

— Contrairement à toi, il n'avait pas envie de venir seul à ce mariage, lui expliqua-t-elle, pesant ses mots avec prudence.

— Alors, il t'a payée pour être sa conquête d'un soir ? Ne vous êtes-vous pas rencontrés chez Dario's ?

Sa voix défaillit tandis qu'il comprenait le mal que le vieil homme s'était donné pour mettre en place cette supercherie. Son front se plissa alors davantage quand tout se fit jour en lui.

— Gordon serait-il… ?

Il ne termina pas sa phrase, conscient que cela ne le regardait en rien.

— Et toi, tu avais besoin de l'argent pour aider ton frère, c'est ça ?

Elle acquiesça en silence, puis eut un sursaut de panique.

— Ne lui dis rien, je t'en prie !

— Si j'avais une sœur, je ne voudrais pas qu'elle…

— Tu n'as même pas de sœur, et tu refuses de reconnaître le seul frère que tu aies.

— Quel est le rapport ?

— Nous sommes deux personnes bien différentes, Juan. Si je découvrais l'existence d'un frère ou d'une sœur, je ferais tout pour les rencontrer, pas pour tenter de les évincer.

— Je ne cherche pas à l'évincer. Je refuse simplement qu'il prenne ce qui me revient de droit !

Elle l'observa un instant. Ses lèvres, son regard, si sensuels, qui savaient à la fois attirer et tenir à distance celles qui s'approchaient d'un peu trop près…

— Tu passes à côté de tant de choses, Juan.

— Je ne passe à côté de rien, objecta celui-ci. J'ai tout ce que je veux.

— Tout ce que l'argent peut t'acheter, précisa-t-elle. Y compris, moi.

Il voulut alors la faire taire en s'emparant de ses lèvres,

mais elle lui offrit un baiser sans chaleur, sans passion, bien différent de celui qu'ils avaient échangé la veille.

Cette fougue lui manquait, à présent. Il voulait retrouver l'intimité qui les avait unis. Mais pour cela, il devait prendre soin d'elle. D'ailleurs, il n'avait aucune envie de passer les prochains jours en compagnie d'une jeune femme tendue et triste, comme à présent. Il avait vu à quel point Estelle pouvait se montrer forte, et il admirait sa dévotion envers son frère et sa famille. Désormais, il la croyait quand elle prétendait ne pas vouloir de son amour.

— Allons, retournons à bord, dit-il alors, décidé à ne pas gâcher cette lune de miel décidément pleine de surprises.

12.

— Allons nous changer pour le dîner, dit Juan une fois qu'ils furent revenus à bord. A tout à l'heure !

Mais Estelle, que la délicieuse odeur de cuisine avait mise en appétit, le rappela.

— Pourquoi devrions-nous dîner habillés ? Il n'y a que nous

Juan parut hésiter un instant, puis haussa les épaules. Après tout, elle avait raison.

— Très bien. Alberto, veuillez prévenir le chef que nous sommes prêts.

Ils se rincèrent donc avec la douche du pont et prirent place à table, simplement vêtus de leurs maillots de bain.

Juan avait davantage l'habitude de prendre ses repas face à des femmes tirées à quatre épingles, mais il trouvait un certain charme à dîner à moitié nu.

— Je pourrais prendre goût à cette vie-là, commença Estelle, avant de s'interrompre, embarrassée. Enfin, je voulais dire…

— Je sais ce que tu voulais dire.

Elle fut soulagée de le voir sourire.

Ils dînèrent en discutant de sujets bien plus légers que tous ceux abordés jusque-là. Ils plaisantèrent, rirent, et dansèrent même sur le pont.

La nuit tombait doucement sur les eaux turquoise, et Juan enfouit le visage dans la chevelure brune de sa cavalière, moins enivré par le vin bu à table que par le parfum délicieux de sa peau tiédie par le soleil de la journée.

Estelle frissonna à ce contact.

— Je crois que j'ai attrapé un coup de soleil.

— J'en ai l'impression, oui, confirma-t-il en observant ses douces épaules légèrement rougies.

Ils passèrent dans le salon. Estelle commençait à se détendre. Au point de ne pas tenter de quitter ses bras quand un employé vint leur apporter un dernier verre de champagne.

— Allons au lit, lui murmura-t-il, une main glissée sous la bretelle de son haut pour libérer sa poitrine.

— Pas tout de suite, répondit-elle contre ses lèvres. Je n'arriverai jamais à m'endormir.

— Je n'ai aucune intention de te laisser dormir.

— Et si nous regardions plutôt un film ? proposa-t-elle en se libérant de son étreinte pour aller consulter sa collection de DVD.

Juan la considéra un instant, déconcerté. Son envie d'elle n'avait jamais été aussi forte, pourtant, il savait qu'il ne devait pas brusquer les choses. Après avoir connu cette jeune femme si abattue, il avait plaisir à la voir si enthousiaste. Et puis, la soirée ne faisait que commencer, après tout… Il aurait bien le temps d'assouvir son désir.

— J'adore celui-là, s'écria-t-elle, film en main, visiblement ravie.

Il ne s'était pas étendu sur un canapé pour regarder un film depuis une éternité.

Estelle frissonna. Les portes étaient ouvertes et l'air se rafraîchissait. Quand Juan attrapa une couverture et l'étendit sur eux, elle se lova contre lui.

— Tu as mal ? s'enquit-il, les lèvres sur ses épaules rougies.

— Un peu.

Elle s'efforça de se concentrer sur l'intrigue du film, tandis que lui préférait se concentrer sur elle. Il l'embrassa dans le cou et sur les épaules, puis fit glisser les mains vers ses seins, les massant lentement de ses paumes, en saisissant la pointe entre le pouce et l'index. Comme elle se laissait faire, il descendit plus bas encore, et défit le nœud de son Bikini.

Et tandis que ses doigts se glissaient en elle, il répéta la même question, cette fois beaucoup plus suggestive.

— Tu as mal ?

— Un peu, dit-elle de nouveau.

Mais il se montrait si doux qu'elle en frémit de plaisir.

Elle sentait le bateau tanguer, et Juan derrière elle, de plus en plus fébrile.

— Retourne-toi, Estelle, murmura-t-il dans un souffle.

— Une minute, c'est le moment que je préfère.

Les yeux fermés, elle ne regardait même pas le film. Elle se délectait de la sensation de ses doigts en elle et n'avait aucune envie qu'il arrête.

Il remonta un peu de façon que ses fesses nues se trouvent contre son bassin et trouva la position idéale. Elle le sentit alors s'introduire lentement, et si une certaine douleur subsistait, elle l'accueillit avec soulagement en elle.

— C'est *ça*, le moment que je préfère, lui susurra-t-il de sa voix basse et profonde.

Il allait et venait en elle, mais sans l'urgence de la veille, ses doigts agiles la menant bientôt au bord de la jouissance.

Très vite, un grand frisson d'extase parcourut Estelle, qui tenta de refouler encore un peu l'orgasme qui menaçait de la submerger.

Il trouva alors en elle un point si sensible qu'elle laissa échapper un petit cri de plaisir.

— C'est là ? demanda-t-il.

Estelle ne comprenait pas ce qu'il signifiait, mais lorsqu'il recommença, elle cria, plus fort cette fois.

— C'est là !

Ne pouvant se retenir davantage, elle se mit à sangloter de plaisir.

Un flot d'extase se répandit en elle, qui la fit vibrer tout entière. Juan gémit d'aise en la sentant se resserrer autour de lui et à son tour, s'abandonna à l'ivresse de la jouissance.

Ils mirent quelques instants à recouvrer leur souffle.

— C'était quoi, ça ? dit Estelle d'une voix éraillée.

— C'était *nous*, lui répondit-il.

Un étrange sentiment s'empara de lui alors qu'il réalisait à quel point il avait apprécié cette soirée avec elle.

Il ne s'agissait pas que de sexe, ni de leur conversation ni de leur dîner.

C'était un tout.

— Nous devrions rentrer.

Ils avaient observé les poissons au masque pendant une bonne partie de la journée et se trouvaient à présent sur la plage, où leurs activités avaient pris une tournure moins innocente. Juan ne savait si c'était de l'entendre rire, de la sentir enlacé contre lui ou simplement de l'avoir à ses côtés qui l'emplissait de bien-être. Ils avaient passé deux jours et deux nuits de pur bonheur. Cette lune de miel initialement factice se révélait bien plus authentique que tout ce qu'il avait planifié.

Il l'embrassa sur la joue et lui dénoua les jambes de sa taille.

— Est-ce l'heure de dîner ? s'enquit-elle.

— Non, je voulais dire qu'il était temps de rentrer à Marbella.

Une fois à bord, ils passèrent dans leur chambre pour se préparer pour le dîner.

Tandis que Juan passait un coup de fil, Rita, l'esthéticienne, coiffait et maquillait Estelle pour le dîner. Ce soir, ils passaient leur dernière soirée sur le yacht, et elle avait envie de marquer cette occasion.

Elle enfila la robe que Rita lui tendait, se repassant à l'esprit tous les moments magiques vécus à bord. Comme si les termes du contrat s'étaient trouvés un temps suspendus, ils avaient passé leur temps à discuter, à rire, à manger, à faire l'amour… Mais Juan n'avait pas hésité à lui rappeler que les choses ne seraient plus ainsi à leur retour à Marbella.

Elle sentait déjà un léger changement dans l'humeur de ce dernier, dont la conversation téléphonique en espagnol semblait prendre une tournure désagréable.

— Ils vont se marier, annonça Juan quand il raccrocha. Mon père tient à régulariser le statut d'Angela. Il veut qu'elle ait son mot à dire dans les décisions médicales le concernant.

— Et qu'as-tu répondu ?

— Qu'il s'agissait de la première chose sensée que j'entendais de sa bouche depuis longtemps.

— Alors, comptes-tu assister à la cérémonie ?

Il ne répondit pas à sa question, préférant changer de sujet.

— Allons, viens. Le dîner ne va pas tarder à être servi. Ne faisons pas attendre le chef.

Le dîner était fabuleux. Le chef avait préparé une paella qui, même aux dires de Juan, était la meilleure qu'il eût jamais dégustée.

Pourtant, il toucha à peine à son assiette.

Il observa Estelle, plus belle que jamais. Elle avait la même coiffure que le jour de leur mariage, sa robe noire soulignait ses courbes à ravir…

Et soudain, une idée lui vint.

— Que dirais-tu si nous ne rentrions pas tout de suite à Marbella ?

Estelle avala sa bouchée avec peine et prit une gorgée d'eau en s'efforçant de ne pas s'étrangler. Une étrange nervosité l'envahit.

— Nous pourrions visiter les îles, prolonger notre périple, continuait-il.

— Pour ne pas assister au mariage de ton père, c'est ça ?

— Il a choisi de se marier pendant ma lune de miel. Il ignore que nous nous apprêtions à revenir.

— Il faudra bien que tu l'affrontes tôt ou tard.

— Ne me dis pas ce que j'ai à faire ! s'emporta-t-il avant de se ressaisir aussitôt. S'il veut un mariage serein, mieux vaut lui éviter ma présence. Surtout si Luka y va.

Il prit une longue bouffée d'air, puis se tourna vers elle avec un sourire.

— Alors, que dis-tu de ma proposition ? Je n'ai pas pris de vraies vacances depuis des années…

Il attendait sa décision, avant de se souvenir que la décision lui appartenait, à lui. Il payait pour sa compagnie, pas pour qu'elle ait son mot à dire.

— Je vais prévenir l'équipage, annonça-t-il.

Et sur ces mots, il disparut à l'intérieur en quête du skipper.

Estelle resta à table, peu à peu submergée par une vague de panique. Soudain, elle voulait retourner sur la terre ferme, revenir en lieu sûr. Car à vivre ainsi avec Juan, et à mieux le connaître jour après jour, elle en oubliait les termes du contrat. Elle perdait pied avec la réalité, et savait qu'en s'abandonnant de la sorte, elle finirait par se perdre tout court.

Les « quelques jours » se muèrent en deux semaines.

Ils cabotèrent le long des côtes de Minorque, jetant l'ancre dans de petites criques isolées au gré de leurs envies.

La peau d'Estelle passa du blanc pâle au brun hâlé, se couvrant d'une myriade de taches de rousseur. Juan l'observait gagner en assurance, ravi de la voir désormais s'étendre sur un transat vêtue d'un simple bas de Bikini sans la moindre gêne visible. Sa sexualité s'épanouissait sous ses yeux, et sous ses mains expertes.

Mais tout a une fin, et ils finirent par rentrer à Marbella. D'habitude, l'apparition de sa ville à l'horizon remplissait Juan d'allégresse. Pourtant, aujourd'hui, il avait envie de dire au skipper de ne pas s'arrêter. De dépasser les côtes de Marbella et de continuer vers Gibraltar, puis vers le Maroc. De prolonger encore un peu leur séjour. Mais il commençait à trop s'attacher à Estelle. Mieux valait refermer cette parenthèse idyllique, se répéta-t-il avec fermeté.

Estelle posa une main sur son épaule pour assister avec lui à leur entrée dans le magnifique port. Mais elle le sentit se raidir à son contact.

Il se tourna vers elle. Elle avait mis un bas de maillot et la chemise qu'il portait le jour de leur mariage, nouée à la taille. Il contempla son ventre bruni par le soleil, ses joues empourprées et ses lèvres encore enflammées de leurs récents ébats.

— Tu ferais mieux de t'habiller.

D'ordinaire, Juan se plaignait qu'elle portait *trop* de vêtements.

— Nous allons sans doute devoir affronter la presse, lui expliqua-t-il. Mets la robe écrue. Et demande à Rita de te coiffer.

Par ces quelques paroles, il venait de lui rappeler sans ménagement quelle était sa place.

De retour sur la terre ferme, il lui prit la main. Mais devant le parterre de photographes, le geste n'avait rien de naturel. Le Juan froid et distant était de retour, et elle allait à présent découvrir ce qu'était vraiment sa vie.

13.

C'était une vie qu'elle n'aurait jamais pu imaginer.

Juan travaillait comme un fou. Ses journées de labeur débutaient à 6 heures pour s'achever tard le soir. Mais loin de rentrer épuisé, il allait nager quelques brasses, ou lui faisait l'amour. Ou plutôt, il couchait avec elle. Car le Juan qu'elle avait connu sur le yacht avait bel et bien disparu. Ils prenaient ensuite une douche rapide puis s'habillaient pour sortir. Jamais ils ne dînaient chez lui. La nuit se prolongeait enfin dans les clubs les plus huppés de la ville, jusqu'aux premières lueurs du jour.

Estelle peinait à suivre le rythme, sidérée de découvrir un tel mode de vie.

— Je pourrais cuisiner, suggéra-t-elle un soir, alors qu'ils attendaient leur repas chez Sol's, un restaurant à la mode situé en bas de chez lui. Ça nous changerait…

— Pourquoi cuisiner quand il existe des centaines de restaurants à deux pas ?

C'était donc sa vie : un tourbillon de fêtes et de faste. Mais après six semaines de mariage, et malgré l'octroi d'une semaine pour retourner dans sa famille, Estelle n'en pouvait plus. Dire qu'en plus de tout cela, Juan travaillait ! Comment faisait-il ?

Mais tandis que le serveur leur apportait leurs boissons, elle se reprit mentalement. Elle aussi travaillait. Qui plus est, sept jours sur sept, vingt-quatre heures sur vingt-quatre. Car seule, jamais elle n'aurait choisi de dîner tous les soirs dehors, jamais elle n'aurait arpenté des rues vibrant de musique après minuit, surtout en semaine.

Sa nièce Cécilia avait vu le cardiologue aujourd'hui, et Estelle se faisait un sang d'encre tout en s'efforçant de n'en rien laisser paraître. Mais elle ne cessait de regarder son téléphone, priant pour qu'il sonne, attendant l'appel de son frère avec fébrilité.

Ils partageaient une succulente entrecôte, et elle fit de son mieux pour paraître enjouée.

— Comment se débrouille ta nouvelle assistante ? s'enquit-elle d'une voix légère.

Juan haussa les épaules.

— Pas trop mal. Mais sans Angela, je me rends compte que tout est plus difficile.

— Quand revient-elle ?

— Elle ne revient pas, lui dit-il. Elle a pris un congé sans soldes pour s'occuper de mon père. Quand il sera mort et que la famille de ma mère apprendra leur secret, ils ne voudront plus d'elle dans l'entreprise.

— Et ton père, quand vas-tu le voir ?

— Il a choisi de finir ses jours dans son autre famille. Pourquoi devrais-je…

Il s'interrompit, secoua la tête.

— Je n'ai pas envie d'en parler.

— Angela m'a de nouveau appelée aujourd'hui.

— Je t'ai dit de ne pas lui répondre.

— J'attendais un appel de mon frère, protesta-t-elle. Cécilia devait voir le cardiologue aujourd'hui. Je n'ai pas pensé à vérifier le numéro avant de décrocher.

D'un coup, Estelle avait perdu l'appétit. Elle repoussa son assiette.

— Tu n'as pas faim ?

— Non, j'ai trop mangé.

— Si nous allions à Barcelone, ce week-end ? Je suis invité à la première d'un film, et je pense que tu pourrais trouver ça amusant.

— Juan…

Estelle secoua la tête. Elle ne pouvait plus rester silencieuse. La frénésie avec laquelle il s'efforçait d'occuper son temps libre la stupéfiait. De toute évidence, il cherchait à combler un vide, à oublier les épisodes traumatisants de sa vie. Et qui d'autre qu'elle pouvait mieux le comprendre ? Elle devait s'ouvrir à lui, lui montrer qu'elle savait ce qu'il ressentait, pour qu'il s'ouvre enfin à elle.

— Ecoute, moi aussi, je me suis sentie coupable à la mort de mes parents.

Juan resta un instant sans rien dire. Il ne s'attendait visiblement pas à ce qu'elle aborde le sujet. Mais il reprit vite contenance.

— Pourquoi ?

— A cause de toutes les disputes que nous avions eues avant, de toutes les choses dont on s'accuse à la mort de quelqu'un. Mais il faut accepter de ne pas pouvoir changer les choses, plutôt que d'essayer vainement d'oublier le passé.

Par réflexe, elle voulut lui prendre la main, mais il la retira d'un geste brusque.

— Tu commences à parler comme une épouse.

Elle le dévisagea, interdite.

— Eh bien, crois-moi, je ne m'en sens pas une.

Son téléphone sonna alors, et elle se précipita pour décrocher.

— Je dois répondre, désolée.

— Ne t'excuse pas.

C'était Amanda qui s'efforçait, comme à son habitude, de paraître enjouée.

— Ils vont garder Cécilia pendant quelques jours. Elle est un peu déshydratée…

— Sais-tu quand on va pouvoir l'opérer ?

— Elle est trop petite, lui expliqua sa belle-sœur. Ils lui ont mis un tube pour l'alimenter, et elle pourrait peut-être revenir à la maison sous oxygène…

Juan vit les yeux d'Estelle s'emplirent de larmes, mais elle se détourna et baissa la tête dans l'espoir de cacher son trouble. Il l'entendit tenter de paraître optimiste alors qu'elle enroulait nerveusement ses cheveux entre les doigts.

— Comment va ta nièce ? lui demanda-t-il une fois qu'elle eut raccroché.

— Toujours pareil, lui répondit-elle, peu encline à s'étendre sur le sujet, tant elle craignait de perdre ses moyens. *Hors de question de craquer et de fondre en sanglots devant Juan !* se répéta-t-elle en silence. Il serait mortifié ! Et comme il avait fini de manger, elle lui adressa un grand sourire forcé.

— Où veux-tu aller, maintenant ?

— Et toi, où veux-*tu* aller ? lui répondit-il en l'entraînant dehors.

A la maison, suppliait-elle intérieurement, tandis qu'ils s'enfonçaient dans les rues noires de monde.

Mais Juan ne la payait pas pour ça. Elle avait envoyé de l'argent à Andrew depuis qu'il était rentré en Angleterre. La première fois, elle avait prétexté qu'il s'agissait de ses économies pour l'achat d'une voiture. La deuxième fois, elle avait prétendu avoir contracté un emprunt. A présent, elle lui avait donné une somme suffisante pour leur assurer quelques mois de tranquillité, avec pour explication qu'elle et Juan souhaitaient juste les aider.

A présent, il était temps de mériter son salaire.

Ils passèrent devant un club particulièrement bruyant et animé, dont l'accès semblait réservé à quelques privilégiés. L'un des repères favoris de Juan.

Elle n'y entra pas.

Estelle se réveilla dans le silence. Il était 10 h 10, et Juan travaillait sans doute déjà depuis de longues heures.

Elle se redressa dans le lit puis, prise d'un vertige, se rallongea.

Comment diable pouvait-il tenir cette cadence infernale

en permanence ? se demanda-t-elle, médusée. Une chose lui apparaissait claire, en tout cas : elle ne sortirait pas ce soir.

Qu'il sorte seul, si cela lui chantait, décida-t-elle en s'habillant pour se rendre non pas dans les boutiques de luxe, mais au marché. Elle ne rêvait que d'une chose : une soirée à la maison, autour d'un bon petit dîner concocté par ses soins. Leur contrat incluait sans doute une clause qui lui accordait une soirée au calme de temps à autre, non ?

D'habitude plutôt sec, l'air semblait aujourd'hui chargé d'humidité. Il régnait une ambiance lourde, oppressante sur le marché, dont chaque allée fourmillait de badauds.

Elle acheta de grosses tomates bien mûres et hésitait entre un gigot et du steak quand elle passa devant l'étal du poissonnier. Une violente nausée l'assaillit, et elle pressa le pas, refoulant la pensée qui lui venait à présent à l'esprit.

Non, elle ne pouvait pas être enceinte.

Elle prenait sa pilule chaque jour à la même heure.

Ou du moins, s'y efforçait-elle.

— Regardez où vous allez ! pesta quelqu'un en espagnol, alors qu'elle marchait tête baissée, perdue dans ses pensées.

— *Lo siento*, s'excusa-t-elle avant de changer de direction, vers la pharmacie, tout en faisant les comptes dans sa tête.

Incapable de se rappeler la date de ses dernières règles, elle priait pour que ses calculs se révèlent inexacts.

Une demi-heure plus tard, elle découvrait qu'ils étaient corrects.

Juan ne revint du bureau qu'à 19 heures, et fut accueilli par l'odeur du pain en train de cuire et la vue d'Estelle en tablier, dans sa cuisine qui ne servait jamais.

— Tu prends ton rôle d'épouse un peu trop au sérieux, là, lui dit-il, visiblement troublé. Rien ne t'oblige à cuisiner.

— Mais j'en avais envie, argua-t-elle tout en lavant la salade. Je voulais juste passer une soirée à la maison, Juan.

— Pourquoi ?

— Parce que, répondit-elle en haussant les épaules. N'as-tu donc jamais envie de te poser un peu ?

— Jamais, admit-il avant de s'approcher pour lui donner un léger baiser sur ses lèvres. Tout va bien ?

— Oui. Pourquoi ?

— Tu ne t'es pas réveillée quand je suis parti, ce matin. Tu avais le sommeil agité.

— Je m'inquiète pour ma nièce, lui rappela-t-elle en se dégageant de son étreinte pour placer la viande sous le gril.

Estelle se sentait étrangement engourdie. Depuis qu'elle avait fait son test de grossesse, elle avait l'impression de fonctionner en mode automatique. Elle avait fait du pain, activité qu'elle pratiquait quand elle avait besoin de se vider la tête. Ce soir, elle n'avait pas la force d'endosser son rôle.

Ils s'installèrent sur la terrasse pour déguster leurs steaks et la salade composée accompagnés du pain aux herbes, sous un ciel chargé de lourds nuages d'orage.

Estelle voulait rentrer chez elle, cesser cette mascarade. Or, elle ne pouvait se le permettre. Mais elle avait plus que jamais besoin d'une bouffée d'air. Dès que sa grossesse serait visible, il lui faudrait se trouver aussi loin que possible de Juan.

Jamais elle ne pourrait le lui dire. En tout cas, pas en face.

Elle ne pouvait supporter l'idée de le voir exploser de rage, de voir toute la confiance qu'il avait mise en elle s'évanouir en un clin d'œil.

— J'ai parlé avec mon père, aujourd'hui, annonça-t-il avec détachement.

Elle dévia son regard de l'orage menaçant et le posa sur lui.

— Comment va-t-il ?

— Pas très bien. Il m'a demandé de venir le voir aussi vite que possible.

— Tu pourrais faire cet effort, tu ne crois pas ?

Et tant pis si elle le brusquait, à présent. Il y avait bien plus grave.

— Certes, ton père a eu une liaison, poursuivit-elle. Mais ce n'était pas une simple aventure. Lui et Angela sont toujours ensemble après toutes ces années…

— Une liaison qui a conduit à la mort de ma mère, précisa Juan sur un ton rageur en plantant sa fourchette dans son steak. Leurs mensonges m'ont poussé à me sentir coupable.

Il reposa ses couverts et l'observa d'un regard empreint de tristesse et de confusion.

Et alors qu'elle avait décidé de fuir cet homme pour mieux se préserver, au moment où elle s'y attendait le moins, voilà que Juan se confiait enfin à elle.

— Je m'étais disputé avec ma mère la nuit où elle est morte. Elle avait raté mon spectacle de Noël, comme elle avait raté beaucoup de choses avant cela. Quand je suis rentré à la maison, elle s'était excusée, en larmes. Ma réponse ? *Te odio.* Je lui ai dit que je la détestais. Cette nuit-là, elle m'a transporté endormi jusqu'à sa voiture…

Il s'interrompit un instant, perdu dans ses tristes souvenirs, puis reprit d'une voix plus grave.

— Les falaises sont dangereuses par temps orageux. Je ne comprenais rien à ce qui se passait. Je croyais l'avoir blessée avec mes reproches. Je me suis excusé, lui ai supplié de ralentir…

Estelle peinait à imaginer une telle scène de panique.

— La voiture a dérapé et a quitté la route, puis a dévalé le ravin. Mon père est rentré de son prétendu voyage d'affaires pour apprendre que sa femme était morte, et son fils à l'hôpital. Il a choisi de n'avouer à personne la raison de son absence.

— Ta famille n'a-t-elle jamais rien soupçonné sur lui et Angela ?

— Pas le moins du monde. Il a prétendu simplement consacrer de plus en plus de temps à l'hôtel de San Sebastian. Angela a continué à travailler pour lui. Avec les années, comme Luka grandissait, elle a commencé à venir plus souvent à Marbella avec mon père. Nous avions un appartement pour elle, où elle séjournait pendant la semaine.

— Il devait s'occuper de deux enfants, intervint Estelle. Peut-être était-ce là la seule façon qu'il avait trouvée pour concilier les deux vies.

— Foutaises ! s'emporta Juan. Il voyait Angela dès qu'il en avait l'occasion et me laissait chez ma tante et mon oncle. S'il avait voulu une famille, il aurait pu l'avoir. Ça n'aurait pas été forcément facile, mais il aurait pu nous réunir. Non, il a choisi cette vie-là, et ce choix a causé la mort de ma mère. Je m'en suis accusé pendant des années, à cause de la scène que je lui avais faite…

— Tu n'étais qu'un enfant.

— Je sais, concéda-t-il. A présent, je m'en rends compte. Elle est morte deux jours après la naissance de Luka. Je crois que ce soir-là, elle était en route pour les affronter.

— Ton père doit s'en vouloir terriblement, dit Estelle avec douceur. Mais à présent, il veut juste s'assurer que tu es heureux. Il a besoin de faire la paix avec toi.

— Nous avons tous besoin de faire la paix.

Il se tut, un instant songeur, puis s'approcha d'elle, le visage grave.

— Tu viens les voir avec moi ?

C'était une invitation, pas un ordre.

— D'accord.

— Demain ?

— Oui.

Le soulagement qu'elle lut dans ses yeux ne lui échappa pas.

14.

Ils s'envolèrent tôt le lendemain matin, le jet survolant les collines luxuriantes du nord. Mais malgré la beauté du paysage, la tension dans l'air restait palpable.

Quand ils arrivèrent devant la maison de San Sebastian, Angela vint leur ouvrir, un sourire hésitant aux lèvres.

— Entrez, leur dit-elle. Soyez les bienvenus.

Elle embrassa Estelle sur les deux joues, et fit de même avec Juan, qui eut un mouvement de recul.

— Allons, dit-elle doucement, nous pouvons faire cet effort. Pour ton père.

Juan acquiesça d'un bref signe de tête, et ils se dirigèrent vers le salon où les attendait le père de Juan. La dégradation de sa santé ne faisait plus de doute. Juan et Estelle eurent tous deux un choc en le découvrant si mal en point.

— Salut, dit-il à son fils. Tu en as mis, du temps.

— Je suis là, maintenant, répliqua Juan, avant de lui tendre une bouteille. Félicitations pour votre mariage. J'ai apporté du champagne pour trinquer en votre honneur.

— Je lui ai enfin accordé sa digne place d'épouse, acquiesça Antonio.

Estelle vit Juan réprimer une réponse lapidaire. Mais vu l'état de fragilité de son père, il ne pouvait se permettre de jeter de l'huile sur le feu.

— Ton frère arrive de Bilbao ce soir. Dînerez-vous avec nous ? demanda Antonio, une lueur d'espoir dans le regard.

— Je ne suis pas sûr de pouvoir rester…

— Il faudra bien que vous vous rencontriez, insista

son père. A moins que tu ne souhaites pas assister à mes funérailles. Car sache que je souhaite être enterré ici.

Estelle vit l'expression de Juan se durcir tandis qu'il écoutait son père lui expliquer qu'il considérait cet endroit comme sa demeure. Ce même homme qui avait privé son premier fils d'un vrai foyer.

— Je vais nous préparer à boire, dit Angela à Estelle. Vous venez m'aider ?

Estelle la suivit dans la cuisine. Malgré sa volonté de ne pas envenimer les choses et de conserver une ambiance sereine, elle éprouvait de la colère pour le compte de Juan.

— Laissons-les discuter tous les deux, lui dit Angela avec douceur, tandis qu'Estelle s'asseyait à la table. Vous semblez fatiguée.

— Juan ne mène pas une vie très reposante.

— Ça, j'en sais quelque chose, acquiesça Angela en lui tendant une tasse de chocolat chaud.

Estelle prit une gorgée, mais elle fut aussitôt écœurée et reposa la tasse.

— Je peux vous préparer une tisane au miel, si vous préférez, lui proposa Angela d'un air entendu. C'est ce que je prenais quand j'étais…

Elle ne finit pas sa phrase en voyant la lueur de panique dans les yeux d'Estelle. De toute évidence, celle-ci ne l'avait dit à personne. Pourtant, aux yeux d'Angela, il n'y avait aucun doute possible. Elle n'avait pas vu Estelle depuis le jour du mariage, et malgré le hâle de son visage, ses traits tirés parlaient pour elle, ainsi que d'infimes signes que seule une femme pouvait remarquer.

— Le voyage en avion a dû vous donner mal au cœur, suggéra-t-elle plus prudemment.

— Je vais bien, lui assura Estelle, qui prit une autre gorgée et se força à l'avaler sans grimacer.

— J'ai peur de ne plus jamais voir Juan après la mort d'Antonio…, lui confia alors Angela, un tremblement dans la voix.

Estelle se mordit la lèvre. Juan avait en effet toutes les

raisons de vouloir s'éloigner d'elle et de Luka. Car maintenant qu'elle constatait de ses propres yeux combien sa famille lui avait menti toutes ces années, elle comprenait un peu mieux l'origine de son amertume.

— Juan est comme un fils pour moi, ajouta Angela.

Estelle ne pouvait rester muette.

— Un fils que vous tenez à distance ?

Elle observa les photos encadrées sur le mur. On y voyait Luka, qui ressemblait beaucoup à Juan en plus jeune.

— Juan est là aussi, fit remarquer Angela en désignant quelques cadres.

— En pensée, peut-être, mais vous ne l'avez jamais accueilli dans cette maison jusqu'à aujourd'hui, répliqua Estelle. Vous formiez une vraie famille ici, tandis que Juan vivait avec son oncle et sa tante, n'apercevant son père que de temps à autre.

— C'est plus compliqué que ça…

— Pas vraiment. Vous dites le considérer comme un fils, et pourtant…

— Nous avons suivi les recommandations des médecins, commença Angela, visiblement émue de replonger dans ses souvenirs. Mieux vaut que je vous le raconte, parce que si Juan refuse de nous revoir, je préfère que vous sachiez toute la vérité. Luka n'a presque pas vu Antonio les deux premières années de sa vie. Celui-ci faisait tout pour que Juan aille mieux, et cela supposait de taire l'existence de son petit frère. Les médecins ont affirmé que Juan avait besoin d'être entouré de ses proches, et qu'il lui fallait de la stabilité. Comment aurions-nous pu l'enlever à son oncle et sa tante, qu'il adorait, pour l'installer dans une maison qu'il ne connaissait pas ?

Estelle haussa les épaules.

— Cela aurait sans doute été dur au début, mais pas plus dur que de perdre sa mère. Personne ne lui a demandé son avis. Vous l'avez simplement abandonné à son oncle et à sa tante, pendant que vous formiez une gentille petite famille ici, avec son père.

Il y eut un long silence, qu'Angela finit par briser.

— Juan ne vous a pas tout raconté, je crois.

— J'en sais assez.

— Vous a-t-il dit qu'il n'avait pas prononcé un mot pendant un an ?

Angela vit le visage déjà livide d'Estelle se vider de ses couleurs.

— Nous n'avons pas su ce qui s'était vraiment passé ce soir-là, poursuivit-elle, parce que Juan ne pouvait pas parler. Le choc de se retrouver coincé sous la tôle froissée avec sa mère morte…

— Il… Combien de temps est-il resté ainsi ? balbutia Estelle, abasourdie.

— Une nuit entière. Ils ont dévalé la falaise. Gabriella a dû mourir sur le coup. Quand l'ambulance est arrivée, Juan la suppliait encore de se réveiller. Il n'arrêtait pas de dire qu'il était désolé. Une fois sorti de l'hôpital, il n'a plus parlé pendant plus d'un an. Comment aurions-nous pu l'arracher à la seule famille qu'il connaissait ? Comment aurions-nous pu lui dire qu'il avait un frère ?

— Excusez-moi…

Estelle sentit une nouvelle vague de nausée monter en elle et courut aux toilettes. Elle y resta quelques minutes, secouée de sanglots, puis s'efforça de se ressaisir. Juan n'avait certainement pas besoin de plus d'effusions aujourd'hui, se sermonna-t-elle.

Elle se rinça donc la bouche et se recoiffa d'une main, puis regagna la cuisine au moment où Juan sortait du salon.

— Ça va ?

— Bien sûr.

— Mon père va se reposer, à présent. J'ai accepté de rester pour dîner.

Estelle acquiesça d'un signe de tête.

— Merci d'être venue, lui dit-il d'un ton plus bas. Sans toi, je ne l'aurais sans doute jamais fait.

— Comment va-t-il ? s'enquit Estelle, troublée par cette marque inespérée de gratitude.

— Pas très bien.

— Il t'aime, tu sais.

— Je sais, admit-il. Et parce que je l'aime aussi, je vais faire en sorte que la soirée se déroule sans accrocs.

Quand elle fit la connaissance de Luka, Estelle ne sut si Juan allait réussir à tenir sa résolution. Selon toute apparence, le jeune homme n'avait accepté de venir que pour ne pas contrarier ses parents.

Comme Antonio se reposait, ce fut Angela qui alla ouvrir.

Les photos ne mentaient pas : Luka était une version plus jeune de Juan — plus maussade, aussi. Il prononça un vague « Bonjour », refusa la main que lui tendait Juan et dit quelques mots en espagnol d'une voix irritée.

— Qu'a-t-il dit ? s'enquit Estelle alors que Luka s'éloignait pour aller saluer ses parents.

— Quelque chose à propos du retour du fils prodigue…

Ils allèrent à leur tour dans le jardin, où Luka discutait avec son père, puis tous les cinq s'installèrent autour de la table, prêts à passer un moment difficile.

Or, le dîner ne se révéla pas si désastreux que cela. Certes, au départ, une certaine gêne flottait dans l'air, mais bientôt, la conversation s'étoffa tandis qu'Estelle aidait Angela à apporter les plats.

— Je n'aurais jamais cru vivre ce jour, se réjouit Antonio. Ma famille au complet, réunie autour d'une même table…

De toute évidence, l'occasion ne se représenterait pas. Il semblait si frêle, si affaibli que tous savaient qu'il s'agissait d'un moment unique. Ce fut sans doute pour cette raison que Luka et Juan s'efforcèrent de rester courtois l'un envers l'autre. Et même si la tension restait palpable par instants, Estelle savait que leur père était trop heureux pour s'en rendre compte.

Les plats étaient tous plus succulents les uns que les autres. Angela avait préparé des spécialités du nord et du sud, pour satisfaire tous les goûts. De la *pringa*, un ragoût de viande d'Andalousie, que Juan adorait enfant, et le *marmitako*, un plat basque très relevé qui, selon les dires d'Antonio, avait contribué à le maintenir en vie jusqu'à maintenant.

— Vous étudiez, me semble-t-il ? demanda le vieil homme à Estelle.

— Oui, l'architecture ancienne. Mais je dois avouer que je n'ai pas été très assidue, ces derniers temps.

— Etre ma femme est un travail à temps plein, intervint Juan avec un sourire moqueur.

C'étaient les mots qu'elle avait utilisés avec Gordon. Et si la plaisanterie fit rire toute l'assemblée, Estelle croisa un instant le regard de Juan, consciente qu'il disait vrai.

C'était *vraiment* un travail, se rappela-t-elle. Un travail qui allait bientôt prendre fin. Mais elle pensa alors au petit être qui grandissait en elle — un bébé dont les parents ne pouvaient être plus différents.

Il la croyait férue de fêtes et de clubs à la mode, quand tout ce qu'elle souhaitait était de se retrouver en famille, autour d'un bon dîner. Cette soirée, malgré toute la tension qu'elle révélait, comptait parmi les plus agréables de ces derniers mois, songea-t-elle.

— Vous adoreriez San Sebastian, continuait Antonio. L'architecture y est superbe. Juan, tu devrais l'emmener à la Basilique Santa Maria…

— Estelle préfère sortir le soir, réfuta Juan. Et moi, les églises m'ennuient un peu.

— Tu vas pourtant t'y retrouver bientôt, lui rappela son père d'un ton tranchant. Et tu devrais t'intéresser à ce qu'aime ton épouse.

Estelle observa Juan vider son verre d'un trait pour éviter de répondre à son père. Ce dernier n'avait visiblement aucune idée du fossé qui les séparait, elle et Juan. Juan non plus, d'ailleurs.

Elle tenta d'imaginer leur avenir : Juan rentrant d'une nuit de fête, accueilli par un bébé en pleurs, la valse ininterrompue des nounous, les droits de visite… Et elle, obligée de s'accommoder à la vie espagnole si elle souhaitait ne pas priver le bébé de son père…

Elle se souvint de son ton péremptoire quand il lui avait assuré ne jamais vouloir d'enfant, et se promit de ne rien lui dire tant que leur contrat les liait encore. De retour chez elle, en Angleterre, protégée par la distance, elle lui en parlerait. Mais pas avant.

— Donc…, reprit Antonio, manifestement désireux de mieux connaître sa belle-fille, vous vous êtes rencontrés l'année dernière ?

— En effet, acquiesça-t-elle avec un sourire poli.

— Quand j'ai su qu'il voyait quelqu'un, j'ai cru qu'il s'agissait de cette ex… vous savez… comment s'appelle-t-elle, déjà ?

Le vieil homme réfléchit un instant, claquant des doigts pour tenter de se souvenir.

— Celle avec un nom étrange… Ah, voilà : Araminta ! Tu l'aimais bien, celle-là.

— Antonio ! intervint Angela, consciente que les médicaments avaient ôté toute inhibition à son époux. La femme de Juan est ici.

— Ce n'est pas grave, balbutia Estelle, dont les joues empourprées trahissaient la gêne. Si Juan devait me raconter toute sa vie passée, nous n'en aurions jamais terminé !

Elle plaisantait pour sauver les apparences, mais un étrange mélange de jalousie et d'effroi courut dans ses veines quand elle se souvint de la façon dont Juan avait repoussé Araminta, en Ecosse. Dire qu'à une époque, il avait aimé cette femme…

Le dîner ne s'éternisa pas. Antonio se fatigua vite, et comme ils rentraient tous à l'intérieur, Luka ne tarda pas à prendre congé d'eux. Le jeune homme serra longuement son père dans ses bras, puis salua d'un signe de tête Juan et Estelle, leur indiquant par ce geste distant qu'il n'avait pas besoin d'eux pour se faire raccompagner à la porte de sa propre maison.

Ils allèrent se coucher. Dormir sur le yacht de Juan ou dans son appartement de Marbella était bien différent que de rester dans la maison de son père, songea Estelle. Juan lui-même semblait éteint, et pour la première fois depuis le début de leur mariage, elle chaussa ses lunettes et prit un livre. Le même livre qu'elle lisait le jour de leur rencontre, sur le mausolée du premier empereur Qin.

Elle n'avait pas progressé d'une seule page.

Dès la fin de son « contrat », elle reprendrait ses études, se promit-elle. En présence de Juan, il lui était tout simplement impossible de se concentrer.

— Lis-moi les passages coquins, plaisanta Juan.

Mais comme elle ne lui répondait pas, il lui prit le livre des mains et en lut le titre.

— Eh bien, voilà de quoi calmer nos ardeurs, ironisa-t-il, ce qui eut le mérite d'arracher à Estelle un petit sourire.

— Tu aimes vraiment ça ? insista-t-il, incrédule.

— Oui.

Il avait posé la main sur sa hanche et la caressait doucement.

— Ils devraient nous entendre nous disputer, en ce moment, lui fit-il observer avec un sourire. Toi, exigeant des explications sur mon passé…

— Je ne veux rien savoir.

Mais Juan ne tint pas compte de sa remarque.

— J'ai adoré mon séjour en Ecosse. Je partageais une maison avec Donald et deux autres étudiants. Pour la première fois depuis la mort de ma mère, j'avais ma propre chambre, ma maison, un groupe d'amis. Ensuite, j'ai rencontré Araminta, on a commencé à sortir ensemble, et ç'a été l'expérience la plus proche de l'amour que j'aie connue.

— Je n'ai pas envie de savoir tout ça, répliqua-t-elle avec humeur, luttant pour garder un ton calme. Te souviens-tu seulement de la façon dont tu lui as parlé au mariage de Donald ? Comment tu l'as traitée ?

Elle le défia d'un regard noir. Agirait-il de la sorte

avec elle si elle le rencontrait dans quelques années ? se demanda-t-elle.

— Aurais-je donc dû coucher avec elle, comme elle l'aurait aimé ?

— Non !

— Aurais-je dû danser avec elle quand elle me l'a demandé ?

Estelle savait qu'il avait raison.

— Bref, ça n'a pas tenu, continua-t-il. Son père me méprisait parce que je n'avais pas de titres de noblesse, donc j'ai fini par rompre.

— Tu as rompu à cause de ça ?

— Elle a eu de la chance que je lui donne une raison, normalement je n'en fournis même pas.

Estelle leva les yeux au ciel, sidérée par son arrogance, puis s'efforça de reprendre sa lecture là où elle l'avait interrompue.

— Pose ton livre, lui intima Juan.

— Je suis en train de lire.

— Je n'ai jamais vu quelqu'un lire aussi lentement, la tança-t-il. Si nous regardions un film sous-titré, il faudrait s'arrêter à chaque plan pour que tu suives…

De toute façon, ils n'auraient bientôt plus l'occasion d'en regarder ensemble, se dit-elle avec amertume.

Avec un soupir d'impatience, elle referma son livre d'un claquement sec. Juan ne souriait plus, à présent.

— Je n'aurais jamais pu faire tout ça sans toi, reprit-il d'une voix plus douce. J'ai failli ne pas arriver à temps pour voir mon père vivant.

— Tu es là, à présent.

— Bientôt, ça sera fini, lui rappela-t-il, sans savoir s'il redoutait davantage la mort de son père ou le départ d'Estelle. Tu retourneras à tes études…

— Et toi, sur ton yacht, à faire la fête dans tous les ports…

— Peut-être pourrions-nous repartir en mer, ce week-end ? Nous avons passé un bon moment, non ?

Etait-il en train d'éprouver des choses qu'il s'était juré de ne jamais éprouver ? s'alarma-t-il. Ou avait-il simplement l'esprit confus ?

— Oui, nous nous sommes bien amusés, admit Estelle, avant de secouer la tête avec lassitude. Mais mieux vaut en rester là, tu ne crois pas ?

Elle refusait de gâcher leurs souvenirs en retournant sur le yacht pour constater qu'il n'y avait plus rien entre eux.

Plus rien entre eux ?

Pourtant, cette nuit-là, il lui tint le visage et l'embrassa — un baiser très lent, très doux. Estelle avait l'impression de se retrouver à bord et percevait presque le clapotis des vagues contre la coque, tandis qu'il l'enlaçait et la prenait dans une dernière étreinte.

Elle l'embrassa avec la tendresse d'une épouse, comme s'ils formaient vraiment le couple qu'ils prétendaient incarner. Jamais il n'avait connu un tel baiser. Elle plongeait les mains dans ses cheveux, pressait ses lèvres contre les siennes, leurs corps fusionnaient pour ne faire plus qu'un. Il la voulait ainsi, dans son lit, pour toujours.

— Estelle…

Au lieu de dire quelque chose qu'il allait regretter, il préféra lui faire l'amour.

Ses mains explorant chaque parcelle de sa peau, il s'empara de sa bouche et entra en elle. Dans ce face-à-face brûlant, aucun des deux ne ferma les yeux.

— Estelle ?

Il répétait son prénom, comme pour l'inviter à lui confier ce qu'elle ressentait, mais elle se retenait, craignant de trop en dire.

Elle contemplait cet homme qui lui avait ravi le cœur. Nul besoin de l'embrasser pour sentir sa bouche la consumer tout entière. Les hanches pressées contre son bassin, elle eut son orgasme si profond, si intense qu'elle lui enfonça les ongles dans la peau, lui arrachant un lent gémissement.

Les yeux fermés, il la rejoignit dans la jouissance, puis rouvrit les paupières pour voir ses joues s'embraser, ses traits tendus sous l'effet du plaisir, son visage qu'il aimait tant s'enfouir dans son cou.

Elle savait qu'il se détournerait d'elle plus tard, que les choses étaient allées trop loin, que la tendresse s'était immiscée entre eux, et qu'il ne le fallait pas.

Elle observa la cicatrice sur son dos et resta ainsi jusqu'à l'aube, à attendre qu'il se réveille et qu'il vienne à elle comme il le faisait presque chaque matin.

Mais cela n'arriva pas.

15.

Il se réveilla et attendit de recouvrer ses esprits. Un semblant de raison.

En vain.

Il se tourna vers elle et la regarda s'éveiller à son tour. L'ennui aurait dû le rattraper, à présent, songea-t-il. Estelle aurait dû l'agacer, le lasser.

Il n'en était rien.

Cette jeune femme le fascinait. Juan restait toujours lui-même, en toute circonstance. Elle, en revanche, demeurait insaisissable. Il se rendait compte à présent qu'il ne la connaissait pas du tout. Le sexe avait jusqu'ici constitué la meilleure forme de communication entre eux.

Estelle distingua des bruits dans la cuisine et se félicita de posséder une bonne raison pour partir.

— Je vais aider Angela, le prévint-elle avant de se glisser hors des draps. Je lui ai parlé hier soir, et…

— Tu me diras ça plus tard, coupa Juan.

Elle obtempéra. La journée allait être suffisamment dure comme cela.

Ils se préparèrent donc, puis descendirent tous deux dans la cuisine.

— *Buenos dias*, dirent-ils ensemble à Angela.

— *Buenos dias*, leur répondit celle-ci avec un sourire. J'allais préparer le petit déjeuner pour ton père, Juan. Que voulez-vous manger ?

— Ne t'en fais pas pour nous. Nous allons juste boire un café et ensuite, Estelle et moi irons nous promener.

— Bonne idée, approuva Angela. Tiens, tu n'as qu'à apporter son plateau à ton père pour le lui dire.

Il resta dans la chambre pendant longtemps. Angela et Estelle échangèrent un regard à la fois étonné et soulagé quand elles perçurent de grands éclats de rire.

— Je suis si contente qu'ils aient réussi à se voir, soupira Angela.

Quand Juan finit par revenir, lui et Estelle sortirent pour marcher dans les collines verdoyantes qui entouraient la propriété.

— Connais-tu bien la région ? s'enquit Estelle.

— Pas vraiment. J'y suis venu deux fois. Aimerais-tu rester un peu plus longtemps pour visiter ?

— Nous sommes ici pour passer du temps avec ton père, lui rappela-t-elle, nerveuse à l'idée de lui avouer combien elle aurait aimé cela.

— Tu as raison. Mais rien ne nous empêche de concilier les deux.

— Ne risques-tu pas de t'ennuyer si l'on visite de vieilles églises ? lui demanda-t-elle avec un sourire amusé.

— Je pourrai toujours faire les boutiques, répondit-il avec une expression facétieuse, avant de lui raconter plus sérieusement sa discussion avec son père.

— Il a parlé d'Angela et de Luka à ma tante et à mon oncle.

— Comment l'ont-ils pris ?

— Mal, évidemment.

Ils marchèrent durant des heures, échangeant à peine quelques paroles. Pourtant, à son grand étonnement, Juan se sentait bien dans ce silence. Pour une fois, il l'aidait à réfléchir, à bien formuler ce qu'il avait l'intention de proposer à Estelle.

Mais était-elle prête à l'entendre ?

— Ton pays te manque-t-il ?

— Oui, admit-elle. Ma famille, surtout.

— Et moi, je te manquerai ?

Il s'arrêta de marcher, et elle se tourna vers lui, interdite.

— Eh bien, les clubs et les restaurants ne vont pas me manquer…

— Mais *nous* ?

— Je… je ne sais pas quoi répondre, balbutia-t-elle, de plus en plus troublée.

— Tu avais raison Estelle, finit-il par lui dire en l'enlaçant avec une infinie douceur. Je suis passé à côté de trop de choses…

Il prit ses lèvres et ils s'embrassèrent comme pour la première fois. Un baiser d'adolescent, langoureux et doux, qui n'avait plus rien à voir avec la frénésie érotique des débuts. Il lui caressait les cheveux, le visage, et elle faillit tout lui dire.

— Juan…

Il plongea son regard brûlant dans le sien, et comme il la contemplait ainsi, elle frémit de tout son être.

Mais pour l'heure, elle se retint de parler, préférant attendre de se retrouver loin de lui, comme elle l'avait décidé plus tôt.

— Rentrons.

Ils redescendirent de la colline main dans la main, discutant de tout et de rien — des jours à venir, et pourquoi pas d'une petite escapade en France, toute proche. Ils formaient un couple comme un autre, qui allait retrouver sa famille…

Mais à l'approche de la maison, elle sentit la main de Juan se resserrer autour de la sienne.

— C'est l'ambulance.

Ils couraient maintenant, ne reprenant leur souffle qu'au seuil, avant de pousser la porte.

Dès l'entrée, ils perçurent les sanglots d'Angela.

— Ton père…, balbutia-t-elle en arrivant vers eux avant de se jeter en larmes dans les bras de Juan. C'est fini.

Les choses défilèrent ensuite à toute vitesse.

Luka revint peu après, mais semblait moins que ravi de

la présence d'Estelle et de Juan dans sa maison. Ils prirent donc une chambre dans un hôtel, où ils passèrent la nuit.

Le lendemain matin, ils se rendirent dans la petite chapelle pour faire leurs adieux. Les deux frères se tenaient côte à côte, mais ne semblaient pas unis dans leur peine.

— Avant, je me disais que Luka était le fils préféré, dit Juan à Estelle, dans l'avion qui les ramenait l'après-midi même à Marbella pour la lecture du testament. Quand j'ai compris que mon père souhaitait mourir là, j'ai eu le sentiment que son autre famille était la seule qui comptait pour lui. Mais Luka voit les choses sous un autre angle. Il se considère comme le fils secret, la honte de son père. Moi, j'ai travaillé à ses côtés, alors que Luka a souffert de son absence, enfant. Sa rancœur est profondément enracinée.

— Et toi, qu'éprouves-tu ?

— Je ne sais pas…, soupira Juan. J'ai juste envie que tout cela soit terminé. Qu'on en finisse une bonne fois pour toutes avec ce testament.

La réunion n'eut rien d'agréable. L'oncle et la tante de Juan jetèrent un regard noir à Angela dès qu'elle entra dans la pièce.

— Elle n'a pas besoin de ça, murmura Estelle, mais Juan la fit taire d'une pression sur sa main.

Estelle se mordit la lèvre, consciente qu'elle n'était pas là pour donner son opinion sur la famille de son époux. Mais elle gardait à l'esprit leur dernière promenade dans les collines, cette complicité qui les avait alors unis, ce sentiment si proche de l'amour…

Le notaire lut le testament, et malgré sa maîtrise limitée de la langue espagnole, Estelle comprit qu'Angela héritait de la maison de San Sebastian ainsi que de quelques placements faits en son nom.

Puis, ce fut au tour de Luka et de Juan.

Estelle entendit les murmures de protestation de l'oncle et de la tante tandis que Juan restait silencieux et immobile.

Ils sortirent peu après, et Juan la prit par le bras pour l'entraîner à l'écart.

— Sa part de l'entreprise revient à Luka, lui expliqua-t-il, le visage défait. Il m'avait assuré me la léguer si je me mariais. Tu parles ! Même mort, mon père me joue encore des tours ! Moi, j'hérite d'un vignoble !

— Juan ! appela Angela, qui avait couru pour les rattraper. Antonio rêvait juste que ses deux fils travaillent ensemble, tu sais. Voilà pourquoi il a finalement agi ainsi.

— Il aurait dû y penser il y a vingt-cinq ans.

— Juan…

Mais il ne voulait pas en entendre parler. Il prit Estelle par la main et ils s'éloignèrent sans même se retourner.

De retour à l'appartement, Juan faisait les cent pas dans le salon, réfléchissant à voix haute.

— Je vais revendre mes parts de l'entreprise, annonça-t-il avec détermination. Recommencer de zéro ne me fait pas peur.

Estelle n'en doutait pas une seconde.

— Et je vais vendre ce vignoble…

— Pourquoi ?

— Parce que je n'en veux pas ! Je ne veux rien de *lui*. Et hors de question de me rapprocher de ce frère…

L'entreprise de Gabriella se voyait confiée au fils illégitime de son mari — cela l'aurait tuée si elle n'était déjà morte. Juan se revit cette nuit-là, petit enfant, dans la voiture dévalant le ravin, l'orage grondant au-dessus de sa tête. Les cris de sa mère, le crissement des pneus et du métal…

Mais ce n'était pas le souvenir le plus douloureux. La suite s'était révélée bien plus traumatisante à ses yeux.

Ce silence qui s'était ensuivi… Il aurait tout fait pour ne plus jamais l'entendre.

— Tu n'es pas obligé de prendre une décision ce soir,

Juan, dit Estelle avec douceur, consciente du trouble qui semblait l'habiter. Nous en parlerons plus calmement demain, et…

— *Nous* ? répéta-t-il, un sourire cynique sur les lèvres. *Nous* parlerons de *mon* avenir ? Estelle, je crois que tu as oublié ta place.

— Non, réfuta-t-elle, incapable de continuer ainsi à se mentir. Quand nous avons parlé, pendant cette promenade, nous avons tous les deux choisi d'oublier ma *place* ! Tu ne peux pas souffler le chaud et le froid sur notre relation à ta guise !

— Notre *relation* ? répéta-t-il en la dévisageant froidement.

Estelle soutint son regard, saisie d'une assurance nouvelle. Lui tenir tête restait la meilleure manière de se préserver, elle n'en doutait plus à présent.

— Oui, une *relation*, confirma-t-elle. C'est ce dont tu as envie, je le sais. Cesse de te mentir.

— Et maintenant, tu crois lire dans mes pensées ! Tu m'aimes, c'est ça ? Tu tiens à moi, hein ? La barbe ! Si je t'ai payée, c'est pour éviter ce genre de conversation. Tu ferais mieux de t'en souvenir.

Estelle ne dit rien tandis qu'il quittait l'appartement dans un claquement de porte furieux. Elle ne chercha même pas à le retenir. Son rôle d'épouse docile avait bel et bien pris fin.

Juan regardait la piste de danse où la foule en transe s'agitait au son d'une musique assourdissante.

Un vignoble.

Un vignoble qui, une fois vendu, ne couvrirait même pas les frais de son yacht pendant un an… Estelle resterait-elle quand même ?

Il n'avait jamais douté de ses propres capacités à repartir de zéro, mais cette fois, ses certitudes vacillaient.

« *Te odio* ». Il entendait le petit garçon de cinq ans hurler ces mots rageurs à sa maman, furieux qu'elle ait raté son spectacle. Il n'était alors qu'un enfant en colère. Or, toute sa vie, il avait cru que ces paroles avaient poussé sa mère à commettre l'irréparable.

En était-il capable ?

Pouvait-il enlever Estelle à la famille qui la chérissait pour la faire vivre avec un homme incapable d'aimer ?

Sauf que, contre toute attente, il l'aimait.

Et elle l'aimait.

Il avait tout fait en son pouvoir pour éviter que cela survienne, avait mis en place des règles, érigé des murs autour de lui pour ne pas que de tels sentiments l'atteignent. En vain.

Il ne voulait pas de cet amour, de ce poids étouffant qui le forçait à se soucier d'un autre cœur que le sien. Car même s'il ne doutait pas qu'Estelle le soutienne, la situation s'avérait trop explosive. L'empire se retrouvait divisé, et tôt ou tard, le chaos allait les rattraper. Il refusait qu'elle y soit exposée.

Il devait la préserver. Et pour cela, il ne voyait qu'un seul moyen.

Il jeta un regard circulaire sur la piste de danse, avisa une escort-girl, commanda un verre et lui fit signe d'approcher.

Il sortit quelques billets de son portefeuille, les lui tendit et lui donna ses instructions.

Elle s'exécuta, enfouit la bouche dans son cou et y laissa une trace de rouge à lèvres.

— Maintenant, du parfum, ordonna-t-il ensuite.

Elle sortit un petit flacon et vaporisa la senteur trop sucrée dans sa direction.

— *Gracias.*

Il en avait fini.

Juan vida son verre et quitta le club.

16.

— Bonjour, Amanda.

Estelle s'efforçait de parler au téléphone d'une voix tranquille et insouciante tandis qu'elle contemplait la photo d'elle et de Juan au mariage de Donald, portrait d'un couple factice dont l'homme refusait d'aimer et d'être aimé en retour.

— J'ai essayé de t'appeler sur ton portable, mais il ne sonne pas.

Estelle commença à lui expliquer qu'elle avait oublié son chargeur à San Sebastian, lui racontant des anecdotes sans importance, quand elle se rendit compte que, contrairement à son habitude, Amanda ne semblait pas enjouée et optimiste.

Elle sentit soudain un souffle glacial lui courir dans le dos.

— Que se passe-t-il ?

— Nous sommes à l'hôpital. Les médecins vont opérer Cécilia demain. Elle a perdu du poids, et s'ils ne l'opèrent pas, nous allons la perdre.

— Je rentre tout de suite. Tout va bien se passer.

— Je n'en suis pas si sûre.

Et sa belle-sœur, d'habitude si forte, si positive, s'effondra enfin au bout du fil.

Estelle dit tout ce qu'elle pouvait pour la réconforter, mais savait qu'il ne s'agissait que de mots, et qu'il lui fallait se rendre à leurs côtés au plus vite.

Elle raccrocha, alla chercher sa valise et y fourra

quelques vêtements en toute hâte. Filer à l'aéroport, prendre le premier avion pour Londres… Elle énumérait mentalement la liste des choses à faire quand surgit à son esprit la vision de la petite Cécilia, si minuscule, si fragile, sur la table d'opération.

Saisie d'un sanglot incontrôlable, elle se laissa tomber sur le lit et fondit en larmes, pleurant comme elle n'avait jamais pleuré.

Juan entendit ses sanglots dès qu'il franchit le seuil. Il courut dans la chambre et se figea.

— Estelle…

Il aperçut la valise et comprit qu'elle partait.

— Ne t'inquiète pas, lui dit-elle sans même le regarder. Je ne pleure pas à cause de toi. Cécilia va se faire opérer. Ils ne peuvent plus attendre… Je dois les rejoindre.

Elle revit le tout petit bébé, imagina la détresse de ses parents s'ils la perdaient, et les larmes affluèrent de nouveau.

— Je m'occupe du voyage, lui dit-il.

Hors de question de la laisser partir seule, décida-t-il. Il ne pouvait accepter de la savoir là-bas sans lui pour la soutenir et l'épauler.

Il la prit dans ses bras et la tint fort contre lui. Non, il ne pouvait se le cacher davantage. Il l'aimait.

— Partons tout de suite !

— Non.

Elle essayait de se souvenir qu'elle était en colère, mais dans ses bras, elle se sentait si bien que toute volonté de protester l'abandonnait.

— Estelle, j'ai fait n'importe quoi, je l'avoue. Mais maintenant, je sais ce que je veux.

— Juan…

Le parfum lui parvint alors aux narines — une fragrance écœurante, sucrée et bon marché. Elle se dégagea de ses bras et l'étudia attentivement. Son haleine alcoolisée, la marque de rouge à lèvres dans son cou…

— Ce n'est pas ce que tu crois, commença-t-il.

— Ah vraiment ? s'écria-t-elle, des éclairs de fureur dans les yeux. Tu as gagné, Juan ! Je m'en vais.

Les larmes cessèrent de couler. Elle se détourna et entreprit de boucler sa valise.

— Estelle…

— Je n'ai aucune envie de t'écouter, l'interrompit-elle sans même élever la voix.

— Tu as raison. Le moment est mal choisi. Nous en parlerons dans l'avion.

— Pas question que tu m'accompagnes.

— Ton frère se demanderait pourquoi je ne suis pas à ses côtés dans cette épreuve.

— Mon frère a d'autres préoccupations que celle-ci ! répliqua-t-elle en le regardant cette fois avec aplomb. Ne rends pas les choses plus difficiles qu'elles ne le sont déjà, Juan.

Il lui saisit le bras pour la retenir.

— Ne me touche pas !

— Tu ne peux pas partir comme ça, Estelle. Tu es trop contrariée…

— Je suis contrariée à cause de ma nièce ! Jamais je ne pleurerais pour un homme qui ne m'aime pas. Je ne suis pas ta mère, Juan. Je ne vais pas perdre la raison ou me tuer dans ma voiture parce que l'homme que j'ai épousé me trompe ! Je suis bien plus forte que ça.

Il n'en doutait pas une seconde.

— Et maintenant, si tu le permets, j'aimerais retourner chez moi pour voir ma nièce.

Il l'avait perdue. Juan le savait. Tenter de la retenir n'aurait fait qu'empirer les choses, car elle devait partir auprès de sa famille sans attendre.

— Je vais appeler mon chauffeur et réserver mon jet.

— Je peux très bien me débrouiller seule.

De nouveau, des larmes lui montèrent aux yeux. Des larmes pour lui, cette fois. Des larmes qu'elle tenait à cacher à tout prix.

— Si tu prends mon jet, tu gagneras du temps, insista Juan.

Et cela l'éloignerait de lui avant qu'elle ne craque, songea-t-elle. Qu'elle ne lui dise pour le bébé… qu'elle faiblisse.

Ce fut la seule raison qui lui fit accepter son offre.

Juan se retrouva seul, sans un bruit autour de lui.

Le silence était ce qu'il détestait le plus au monde.

Son pire cauchemar.

Il voulait rattraper Estelle, mais il lui avait prêté son chauffeur. Il appela donc un taxi, même s'il savait d'avance qu'elle ne voudrait pas de lui dans l'avion.

Sur la route, ils passèrent devant ses bureaux et il leva la tête, songeant à ce que l'entreprise allait devenir sans lui, sans son père et Angela.

Il aperçut de la lumière et demanda au chauffeur de s'arrêter.

— Juan !

Angela eut un hoquet de surprise en le voyant arriver. Mal rasé, chemise froissée, les yeux rougis, les cheveux en bataille, son col taché de rouge à lèvres…

Elle connaissait bien ce Juan-là.

— Que fais-tu ici à cette heure ? lui demanda-t-elle.

— J'ai vu de la lumière et j'ai voulu vérifier qui était là. Je suis en route pour l'aéroport. La nièce d'Estelle a été hospitalisée.

— Je suis navrée de l'apprendre. Où est Estelle ?

— Dans l'avion pour Londres.

— Et ne devrais-tu pas être à ses côtés ? s'étonna Angela.

— Elle ne voulait pas que je l'accompagne.

— Alors, tu es allé dans un club séduire la première venue ?

— Non.

— Ne me mens pas, Juan. Ta femme ne porterait jamais un parfum aussi vulgaire.

— Je serais incapable de la tromper.

Angela fronça les sourcils. Les preuves étaient pourtant bien là, constata-t-elle. Pourtant, elle connaissait Juan mieux que quiconque, et cette fois, il ne mentait pas, elle le lisait sur son visage.

— Alors, que s'est-il passé ?

Juan ferma les yeux, empli d'un sentiment de honte.

— Je ne l'ai pas trompée. Je voulais juste le lui faire croire.

— Eh bien, maintenant elle le croit sans aucun doute ! Et elle se retrouve seule face à cette épreuve.

Angela vit les yeux de Juan se voiler et réprima un élan d'amour pour celui qu'elle avait toujours considéré comme son fils.

Il lui raconta alors ce qui s'était passé, ce qu'il avait fait, les mauvaises pensées qu'il avait eues, et elle le crut.

— Tu ne cesses de repousser ceux qui t'aiment, n'est-ce pas ? De quoi as-tu si peur, Juan ?

— De ça, admit-il. De blesser l'autre. D'être responsable d'une autre vie que la mienne…

— Nous ne sommes responsables que de nous-mêmes, lui dit Angela d'une voix douce. Moi aussi, j'ai commis des erreurs. Et à présent, on me les fait payer. Je dois vider mon bureau avant demain matin. Ton oncle et ta tante ne m'adressent plus la parole. Mais si c'était à refaire, je n'hésiterais pas un seul instant. Nous étions trop amoureux avec ton père pour que je renonce à notre histoire. Je ferais juste certaines choses différemment.

— Et qu'aurais-tu fait différemment ?

— J'aurais davantage insisté pour que tu sois mis au courant de notre relation plus tôt. Je t'aurais parlé de ton frère. Nous allions le faire quand tu es entré à l'université, mais ton père s'est ravisé au dernier moment. Pour ça, je m'en veux. J'aurais dû lui tenir tête. J'aurais dû te le dire moi-même. Et maintenant, je dois vivre avec ce regret.

Angela baissa la tête, perdue dans ses tristes pensées,

puis laissa échapper un soupir résigné et le désigna du menton.

— Et *toi*, Juan, qu'aurais-tu fait différemment ?

— Je n'aurais pas dû aller dans ce club, commença-t-il avec un petit sourire. Et beaucoup d'autres choses.

— Tu devrais partir la retrouver, lui conseilla Angela. Il faut lui dire la vérité. Expliquer pourquoi tu as agi de la sorte.

— Elle ne voudra pas m'écouter. Elle a d'autres choses bien plus importantes à gérer pour l'instant.

— Si tu n'es pas là pour la soutenir dans cette épreuve, il sera trop tard pour tenter de la raisonner ensuite. Je vais te réserver un vol. Pendant ce temps-là, va te rafraîchir.

Juan alla dans son bureau, étudia son reflet dans le miroir, puis commença à se raser tandis qu'Angela lui apportait une chemise propre et du café.

— C'est la dernière fois que tu me vois faire ça.

— Peut-être pas, lui répondit-il. Tes deux fils auront sans doute leur mot à dire dans cette décision.

Les yeux d'Angela s'emplirent de larmes comme Juan lui avouait enfin quelle place elle tenait dans son cœur. Mais elle se ressaisit et secoua la tête avec un sourire.

— Je voulais dire que c'est la dernière fois que je te couvre. Estelle mérite mieux que cela.

— Et elle l'aura.

— Ton père semblait si content de vous voir ensemble ! lui dit-elle. Je ne l'ai jamais vu aussi serein. Juste avant sa mort, nous vous regardions marcher dans les collines. Nous vous avons vus vous arrêter pour vous embrasser.

Juan ferma les yeux et se souvint de ce jour où, pour la première fois de sa vie, il avait failli déclarer son amour à une femme.

— Il vous savait heureux ensemble. Je suis tellement soulagée de lui avoir dit, pour le bébé.

Juan se figea.

— De quoi parles-tu ? *Quel* bébé ?

Sa surprise était sincère, Angela s'en aperçut tout de suite.

— Estelle ne te l'a pas dit ?

— Non ! s'écria Juan, abasourdi. Elle te l'a dit, à *toi* ?

— Non, rectifia Angela. Je l'ai deviné. Elle ne buvait pas de vin. Elle semblait nauséeuse le matin…

Oui, Estelle était forte. Oui, elle pouvait se passer de lui. Mais il ne le voulait pas.

— Réserve-moi un vol !

17.

— Juan !

Dans ce contexte de crise familiale, Estelle fut soulagée que la tension de sa voix passe inaperçue quand apparut Juan, rasé de frais, sans la moindre trace de rouge à lèvres.

— Désolé de ne pas avoir pu arriver plus tôt, s'excusa-t-il en serrant la main d'Andrew.

— Nous te sommes déjà si reconnaissants d'avoir permis à Estelle de venir aussi vite, lui assura celui-ci. Nous sommes vraiment navrés pour ton père, Juan.

— Merci. L'opération a-t-elle commencé ? s'enquit-il avant de s'asseoir près d'Estelle pour lui passer le bras autour des épaules.

Il la sentit se raidir.

— Oui, il y a une heure, répondit-elle d'un ton glacial. Cela pourrait durer encore longtemps.

Le temps semblait s'écouler avec une lenteur infinie. Juan lut toutes les affiches sur les murs et toutes les brochures disposées sur la table. Estelle l'entendait tourner les pages et sentait monter l'impatience.

Pourquoi diable était-il venu ? Comment l'oublier s'il restait ainsi à la suivre ?

— Pourquoi ne nous tiennent-ils pas au courant ? s'insurgea Amanda. Personne n'est venu nous voir pour l'instant !

— Allons, on ne va pas tarder à savoir, lui dit son mari en lui prenant la main avec tendresse.

Juan remarqua la douceur d'Andrew quand il s'adressait à sa femme, l'amour qu'elle lui portait quand elle s'appuyait contre lui. Malgré ce drame, ils semblaient incroyablement complices.

Il alla vers la machine à café, et Estelle le suivit.

— Pourquoi cherches-tu à me compliquer les choses, Juan ?

— Ce n'est vraiment pas mon but, au contraire, se défendit-il. Je sais que ce n'est ni le lieu ni le moment de te le dire, mais sache que rien n'est arrivé entre moi et cette femme. Je lui ai juste demandé de m'embrasser dans le cou et de me vaporiser avec son parfum. Je voulais te faire fuir.

Il planta un regard déterminé dans le sien.

— Eh bien, ton plan a fonctionné à merveille.

— J'ai fait une erreur, reprit-il. Une grossière erreur. Je ne voulais pas te faire souffrir.

Estelle secoua la tête, lasse, l'esprit confus. Elle ne savait plus ce qu'elle voulait : qu'il disparaisse et la laisse enfin en paix, ou qu'il reste auprès d'elle, la serre dans ses bras, la soutienne dans cette épreuve.

— Je ne peux pas parler de ça maintenant, Juan. Pour l'instant, je dois me concentrer sur ma nièce.

Malgré son envie de rester auprès d'elle, il ne pouvait rien trouver à redire à cela.

— Préfères-tu que je t'attende à l'hôtel ?

— Oui, acquiesça-t-elle.

Car elle ne parvenait pas à conserver les idées claires tant qu'il restait dans ses parages.

— Moi aussi, j'ai besoin d'un café, intervint Andrew derrière eux.

Estelle lui sourit et lui prit aussitôt un gobelet dans la machine.

— Estelle, emmènerais-tu Amanda prendre l'air ? lui demanda son frère. Elle a besoin de sortir de cette salle d'attente où elle ne fait que tourner en rond.

— Bien sûr.

Estelle croisa un bref instant le regard de Juan, comme

pour le mettre en garde contre tout commentaire qu'il pourrait émettre sur elle à son frère, puis disparut dans le couloir pour aller chercher Amanda.

— Tu as la meilleure sœur au monde, dit Juan à Andrew une fois qu'elle fut partie.

— Je sais, approuva ce dernier. Je ferais tout pour elle.

Comme Estelle agirait pour son frère, songea Juan. Elle avait vendu son âme au diable pour sa famille, et à présent, il savait pourquoi.

Ils discutèrent quelques instants, autant pour qu'Andrew puisse se changer les idées que pour le plaisir de l'échange.

— J'avais des réserves sur vous deux, au début, admit Andrew avec un sourire. Vous êtes si différents l'un de l'autre.

Et Juan apprit alors de la bouche de son beau-frère combien Estelle détestait les clubs et les bars, et quel effort elle avait accompli pour aider sa famille.

Andrew retourna peu après dans la salle d'attente passer des coups de fil, et Juan décida qu'il valait mieux quitter les lieux avant le retour d'Estelle.

Il arpentait la petite chambre d'hôtel, inquiet de n'avoir toujours pas reçu la moindre nouvelle de l'hôpital. Il était 21 heures, et il se faisait un sang d'encre pour un bébé qu'il n'avait jamais vu.

— Elle a survécu à l'opération.

Juan perçut le soulagement mêlé d'épuisement dans la voix d'Estelle quand elle apparut à la porte.

— Quand est-elle sortie du bloc ?

— Vers 18 heures, répondit-elle, avant de lui jeter un regard sarcastique. Pourquoi ? Etais-je censée te prévenir ?

— Je trouvais juste que ça prenait beaucoup de temps. Je…

— Désolée, s'excusa Estelle, qui regretta aussitôt sa pique devant la sincérité manifeste de Juan. Il a fallu attendre longtemps avant qu'Andrew et Amanda ne soient autorisés à la voir.

— Comment va Cécilia ?

— C'est trop tôt pour le dire. Nous attendons le résultat des analyses. J'ai perdu mon chargeur. Andrew nous appellera sur ton téléphone dès qu'il aura des nouvelles.

Elle se déshabilla et se glissa sous les draps, soulagée de pouvoir enfin fermer les paupières pour se laisser aller au sommeil. Pourtant, une chose restait à régler avant de s'abandonner au repos.

— Je ne vais pas leur annoncer tout de suite notre rupture, dit-elle. Ça serait trop dur pour eux. Mais après notre visite demain matin, je préférerais que tu partes.

— Je veux rester.

— Mais je n'y tiens pas. Et vu ce qui s'est passé, tu conviendras que notre contrat est rompu. Il s'agissait d'une relation *exclusive*, souviens-toi.

— Je te le répète : il ne s'est rien passé, insista-t-il. Ce qui signifie que tu m'appartiens encore.

— Faux, réfuta Estelle. Qu'importe ce qui s'est passé, je ne veux pas de ton argent. Cela me coûte trop cher.

— Alors rembourse-moi.

— D'accord…, commença-t-elle, consciente de la somme astronomique que cela représentait. Je te rendrai tout, mais cela risque de prendre un peu de temps.

— A toi de voir. Mais pour l'heure, cela ne change pas le fait que le contrat reste valide.

Il tendit la main vers elle, mais elle le repoussa et lui tourna le dos.

— J'aimerais une nuit de congé.

— Accordée.

A son grand désarroi, elle se réveilla dans ses bras. Mais quand elle reprit ses esprits, elle se dégagea bien vite pour téléphoner à son frère.

Juan l'observa se glisser hors des draps, la rondeur nouvelle de ses seins, ses formes plus voluptueuses, et sentit son amour pour elle grandir encore. Il lui était reconnaissant de ne pas lui dire, de préserver leur enfant du contrat qui, pour l'instant, continuait de les lier.

— Tu partiras donc après notre visite à l'hôpital ? s'assura Estelle.

— Pourquoi quitterais-je ma femme dans un moment pareil ? Je ne vais nulle part, Estelle.

— Je ne veux pas de toi ici.

— Mensonge ! persista Juan. Je crois que tu m'aimes autant que je t'aime.

— *T'aimer* ? Je serais folle de t'aimer ! Ce que j'ai cru éprouver pour toi a bel et bien disparu. J'ai des critères stricts, auxquels tu n'as pas su répondre. Même si tu n'as pas couché avec une autre, tu as quand même mal agi.

— De toute façon, notre contrat reste valable, lui fit-il observer. Ce qui signifie que c'est moi qui pose les conditions, pas toi.

— Ton père est mort ! Cela n'annule-t-il pas notre contrat ?

— Tu devrais lire les petits caractères avec plus de soin, Estelle. Notre séparation doit survenir après un laps de temps *raisonnable*. Mais je reconnais que nous ne pouvions pas prévoir de telles circonstances. Aussi, je suis prêt à ce que le contrat expire dès demain.

— Demain ? Pourquoi pas maintenant ?

— Je veux juste une dernière nuit. Ne me force pas à te faire relire ce contrat. Je veux juste parler avec toi.

Estelle secoua la tête, vaincue. Son état ne lui permettait plus de se battre. Juan aurait toujours le dernier mot.

Elle se laissa donc conduire à l'hôpital, sans prononcer un mot de tout le trajet.

18.

— Elle est toute rose !

Estelle s'émerveillait à la vue des petits doigts qui s'agrippaient autour de son index. Même les ongles de Cécilia étaient roses — et à ses yeux, cela devenait d'un coup la plus belle couleur au monde.

— C'est un petit miracle, acquiesça Andrew qui tenait l'autre main de sa fille.

Tout le monde était bien trop occupé à admirer Cécilia pour remarquer le trouble de Juan.

Celui-ci se pencha sur le bébé, qui ressemblait tant à Estelle, songeant à ce qu'il avait failli rater.

— Je dois retourner à l'hôtel travailler, prévint-il. Veux-tu déjeuner plus tard ?

Estelle releva les yeux et s'apprêtait à refuser quand elle s'aperçut qu'il s'adressait à Andrew.

— Avec plaisir, accepta celui-ci. Estelle, pourrais-tu emmener Amanda prendre un petit déjeuner ? Elle a besoin d'air, et je vais rester avec Cécilia pendant ce temps.

— Bien sûr, dit Estelle en se levant.

— J'ai pensé que nous pourrions sortir dîner ce soir.

Cette fois, Juan s'adressait bien à elle.

— Je préfère rester auprès de ma nièce.

— Andrew et Amanda seront avec elle. Et puis, il faut bien que tu manges !

— Il a raison, Estelle, intervint son frère. Sors t'amuser un peu. Tu as besoin de changer d'air aussi !

La journée touchait à sa fin. Les médecins venaient voir Cécilia de temps à autre et parlaient de supprimer le tube respiratoire si la santé du bébé continuait à s'améliorer de la sorte. Estelle finit par convaincre Amanda d'aller dormir dans l'une des chambres réservées aux parents.

Alors qu'elle refermait la porte et revenait vers la chambre de Cécilia, elle se demanda si elle ne s'était pas un peu trop habituée au train de vie de Juan. Elle aurait tout donné pour se retrouver sur son yacht, sans autre chose à se soucier que de savoir de quoi serait composé le prochain repas et de l'heure à laquelle ils feraient de nouveau l'amour.

Jouer la maîtresse de Juan avait eu ses bons côtés, songea-t-elle avec un sourire amer. Alors qu'incarner son épouse était un rôle ingrat.

— Amanda dort enfin, informa-t-elle Andrew, que Juan avait fini par laisser seul dans la pièce.

— Merci d'être là pour nous, lui dit-il. Merci à tous les deux. Juan est formidable. J'avoue qu'au début, il ne me faisait pas vraiment bonne impression, mais à présent, je vois à quel point il tient à toi.

Estelle sentit ses yeux s'emplir de larmes, qu'elle refoula aussitôt.

— Lui as-tu demandé de me trouver du travail ? ajouta son frère sur un ton suspicieux.

Estelle resta un instant interdite.

— Du travail ?

Andrew n'avait aucun mal à deviner quand sa sœur lui mentait, et à sa voix, il sut que sa surprise était bien réelle.

— Juan m'a assuré qu'une fois que Cécilia serait sortie d'affaires, il m'offrirait un poste au sein de son entreprise. Il voudrait que j'inspecte ses hôtels pour tester l'accueil des clients handicapés.

C'était un poste de rêve. Elle vit la lueur d'enthousiasme dans le regard de son frère. Bientôt, il gagnerait sa vie, voyagerait, et retrouverait toute sa dignité et son assurance.

Mais tandis qu'elle l'embrassait avec chaleur et le serrait dans ses bras, un élan de colère monta en elle.

L'entreprise de Juan était sur le point d'imploser, et elle et Juan s'apprêtaient à divorcer. Comment osait-il impliquer Andrew dans ce bouleversement imminent ?

Comme elle aurait aimé être à demain ! Juan parti, elle pourrait enfin réfléchir à sa vie, à ses sentiments, à la façon de lui annoncer que leur brève union allait, contre leur gré, les lier à vie.

Un message de Juan l'attendait quand elle revint à l'hôtel. Il lui donnait rendez-vous au restaurant à 20 heures.

— Tu as signé ce contrat, se répéta-t-elle à voix haute devant le miroir, tandis qu'elle appliquait du mascara sur ses cils.

S'agirait-il d'un simple dîner, ou l'entraînerait-il ensuite dans un club, ou… ?

Elle ferma les paupières si brusquement qu'elle faillit frotter sa pupille avec le pinceau.

Il ne s'attendait tout de même pas à coucher avec elle, si ?

Non, il n'oserait insister.

Mais Juan était tellement imprévisible, se dit-elle dans le taxi qui la menait vers le restaurant. Il insisterait peut-être. Sans doute, même. Et elle savait qu'elle devrait obtempérer.

Comme à chacune de ses apparitions, Juan attirait tous les regards. Lorsqu'ils pénétrèrent dans la salle du restaurant à la mode, il aurait pu tout aussi bien débarquer d'un hélicoptère vêtu d'un kilt : tout le monde semblait électrisé par sa présence.

— Tu es magnifique, lui dit-il tandis qu'ils s'asseyaient, visiblement inconscient du magnétisme qu'il exerçait.

— Merci.

Il percevait le frémissement de colère qu'elle cherchait à contenir et devina qu'elle avait parlé à Andrew.

Il commanda du vin, mais elle n'en voulut pas.

Il suggéra des fruits de mer, dont il la savait friande, mais elle refusa.

— Je croyais que tu adorais ça ? commenta-t-il, curieux de la réponse qu'elle allait lui donner.

— J'en ai trop mangé ces dernières semaines.

Elle commanda un steak bien cuit, et il la vit le découper avec des gestes pleins de rage. Elle finit par reposer ses couverts avec un soupir agacé et se décida enfin à lui poser la question qui la taraudait.

— As-tu proposé un poste à mon frère ?

— En effet.

— Pourquoi as-tu fait ça alors que notre divorce est imminent ? Alors que ton entreprise risque de connaître une crise sans précédent ?

— Allons, il n'y a aucune raison pour que mon entreprise périclite. J'ai parlé avec mon oncle et ma tante ainsi qu'à Luka aujourd'hui. La rancœur va finir par se tasser dans l'intérêt de tous. Nous avons finalement décidé de travailler ensemble. Alors, ne t'inquiète pas pour ton frère. Tant qu'il sera performant, il conservera son poste. Je te le garantis.

— Tu dis ça maintenant, mais…

— Je suis un homme de parole, la coupa-t-il, un regard pénétrant plongé dans le sien. Je ne mens jamais et je reste moi-même en toutes circonstances.

Il observa ses joues s'empourprer, puis reprit.

— Il n'y a que les femmes que je choisis sur un coup de tête. Si j'ai réussi en affaires, c'est parce que je sélectionne mes employés avec soin, sans accorder de passe-droits à quiconque. Ton frère m'a fait part de quelques idées judicieuses pour améliorer l'accueil des handicapés dans l'hôtellerie. Je crois que ses conseils pourraient me faire réaliser de sérieux bénéfices. Je ne veux pas que mes hôtels soient tout juste corrects. Je veux qu'ils soient les meilleurs. Et par cela, j'entends qu'ils le soient pour tous : hommes d'affaires, couples, handicapés, familles…

D'ailleurs, Andrew va bientôt pouvoir tester l'accueil des jeunes enfants…

Il l'étudia pendant un long moment. Quand allait-elle se décider à lui parler ?

— Quel soulagement de voir Cécilia récupérer aussi vite ! reprit-t-il.

— En effet, approuva Estelle. Ces derniers mois ont été si éprouvants pour ses parents…

— Etre avec ta nièce te donne-t-il envie d'avoir des enfants ?

Elle retint son souffle, sembla chercher ses mots, puis éclata d'un rire amer.

— Au contraire ! A voir toutes les épreuves qu'ils ont traversées, cela m'a plutôt refroidie.

Elle n'allait rien lui avouer, comprit Juan. Mais loin de l'enrager, cette pensée le fit sourire. Estelle était vraiment la plus obstinée de toutes les femmes qu'il connaissait.

Il fallait bien trouver un moyen de faire tomber ces barrières qu'elle avait érigées tout autour d'elle, réfléchit-il. Ce défi l'amusait autant qu'il le tourmentait. Car c'était leur avenir qui se trouvait en jeu.

Un avenir que, désormais, il ne concevait plus sans elle.

Il fallait se lancer.

— Sais-tu quand je suis tombé amoureux de toi, Estelle ? lui demanda-t-il, avant de poursuivre sans même lui laisser le temps d'accuser le choc que lui causait sa question. Quand je t'ai vue dans ce vieux pyjama informe, au mariage de Donald. Je n'avais plus qu'une idée en tête : t'arracher des griffes de ce vieux Gordon. Et contrairement à ce que tu pensais alors, il n'était pas question pour moi de t'acheter. Je méritais cette gifle, certes, mais tu as mal interprété ma proposition.

Estelle sourit faiblement, déconcertée par la tournure que prenait leur conversation. Elle avait si peur de l'aimer, si peur de lui avouer, pour le bébé. Pourtant, au fond d'elle-même, elle n'aspirait qu'à une chose : leur accorder une deuxième chance. Juan s'ouvrait à elle, et elle devait faire de même.

Mais avant même qu'elle se décide à lui répondre, il parla, et ce qu'il dit la laissa bouche bée.

— Quand allais-tu m'annoncer ta grossesse, Estelle ?

Jamais elle n'aurait pu imaginer qu'il était déjà au courant. Il tendit la main et la posa sur son ventre, puis rapprocha sa chaise et lui déposa un baiser sur la joue.

Elle hésita un instant, consciente qu'elle ne pouvait continuer à lui mentir.

— Quand je serais trop enceinte pour prendre l'avion pour l'Espagne, finit-elle par répliquer.

— Le bébé naîtrait donc en Angleterre ?

— Oui.

— Et comment ferais-tu pour l'élever ?

— Comme des millions de gens normaux. Nul besoin d'être milliardaire pour cela, Juan.

Elle le dévisagea un instant sans rien dire, puis reprit :

— Es-tu resté ici pour le bébé ?

— Non. Je suis ici pour toi.

Elle sut qu'il disait vrai — pas parce qu'il ne mentait jamais, mais parce qu'elle le lisait dans son regard.

— J'ai connu trois nuits atroces dans ma vie, poursuivit-il. J'ai longtemps eu du mal à parler de la première, mais grâce à toi, je commence à l'évoquer. La deuxième a été celle où j'ai appris l'existence de mon frère, et tu étais là. Je me suis couché l'esprit hanté non par la vengeance et la haine, mais par un baiser et la gifle qui avait suivi. Je crois que je t'aimais déjà à ce moment-là, mais je me refusais à l'admettre.

— Et la troisième ?

— La nuit dernière. J'ai compris que la femme que j'aimais était partie à cause de mes reproches et de mes agissements. Et cette fois, c'était *vraiment* ma faute.

Elle savait ce qu'il sous-entendait : il pardonnait enfin au petit garçon de cinq ans qu'il avait été. Le petit garçon qui, pendant trop longtemps, s'était accusé de la mort de sa mère.

— J'ai vu Angela, continua-t-il. Elle a toujours su me conseiller quand je me retrouvais dans une mauvaise passe. Je lui ai demandé quoi faire. C'est là qu'elle m'a annoncé que tu étais enceinte et que mon père l'avait appris avant de mourir. Apparemment, j'étais bien le dernier au courant…

— Je ne lui ai jamais dit.

— Je sais, lui dit-il. Elle l'a deviné, et c'est tant mieux.

Ils restèrent un long moment à se contempler en silence. Estelle retenait son souffle, incapable de prédire ce que Juan allait faire de cette nouvelle situation.

C'est alors qu'elle le vit sourire.

— Qui l'aurait cru ? dit-il, une expression à la fois surprise et amusée sur le visage.

— Pas moi, admit-elle d'une voix hésitante, n'osant croire à ce revirement inespéré.

— Bien. Alors, comment annoncer à sa femme qu'on souhaite l'épouser de nouveau ?

Estelle sourit à son tour. D'abord timidement, puis il éclata d'un rire franc, euphorique.

— Nul besoin de se marier de nouveau ! Quoique, une seconde lune de miel serait agréable…

Leurs mains se touchèrent, et Juan sentit le voile d'incertitude qui l'oppressait depuis des jours se dissiper d'un coup. Jamais il n'avait parlé avec autant de sincérité, et cela était si bon !

— Crois-tu que nos familles vont remarquer le changement entre nous ? dit-il.

— Non, lui répondit Estelle sans se départir de son sourire comblé. Ils croient tous que nous avons eu le coup de foudre dès notre première rencontre.

— Et ils ont raison, lui fit remarquer Juan, avant de l'attirer à elle pour l'embrasser de nouveau. Nous étions les seuls à ne pas l'avoir compris.

Epilogue

Ce fut un mariage émouvant, à bord du yacht qui avait jeté l'ancre dans la baie d'Acantilados.

C'était le cadeau de mariage de Juan à Gordon pour le remercier de lui avoir fait rencontrer Estelle.

Tandis que Gordon prononçait son discours de remerciement aux convives, Estelle s'appuyait contre l'épaule de Juan, à l'affût des mouvements du bébé dans son ventre.

— Te souviens-tu de la journée passée ici ? lui demanda Juan avec un sourire entendu.

— Bien sûr que je m'en souviens, répondit-elle, le souffle un peu court. Nous avions passé l'après-midi à observer les poissons, et je…

Elle s'interrompit au beau milieu de sa phrase.

— Estelle ?

Elle s'était efforcée d'ignorer les contractions de plus en plus fortes, mais impossible d'ignorer la dernière.

Juan posa la main sur son ventre rond et sentit le spasme caractéristique sous sa paume.

— Je vais trouver un bateau pour nous ramener à Marbella.

— Oh non ! protesta-t-elle. Le travail pourrait prendre des heures. Inutile de déranger tout le monde…

— Je crois que Gordon serait plus embêté si tu accouchais ici, lui fit-il remarquer avant d'aller trouver Alberto, qui s'empressa d'organiser un rapatriement.

— Nous allons partir, annonça Juan à Gordon qui

venait prendre de leurs nouvelles. Estelle se sent un peu fatiguée, et…

Mais il ne put mentir davantage, car Estelle fit une grimace tout à fait éloquente.

— Oh ! mon Dieu ! s'exclama Gordon avec une joie manifeste. Le bébé arrive !

— S'il vous plaît, les supplia Estelle. Je n'ai pas envie d'attirer l'attention sur moi.

Peine perdue. Ils montèrent sur le hors-bord au son des applaudissements et des bravos des convives réunis sur la jetée.

Estelle enfouit le visage dans le cou de Juan, dont la sérénité la réconfortait malgré les éclairs de douleur qui la traversaient de part en part.

Oui, Juan se sentait serein. Il avait tout ce dont il voulait ici, sur ce petit bateau. Il leva le visage vers les falaises, dont la vue désormais ne le replongeait plus dans les affres de ses souvenirs. Et l'espace d'un instant, il pensa à sa mère et pria pour la paix de son âme.

Le travail dura des heures.

La nuit touchait à sa fin et les premières lueurs de l'aube pointaient quand, alors qu'Estelle pensait qu'elle ne pouvait plus tenir, tout se précipita.

Elle poussa et poussa encore, les ongles enfoncés dans le bras de Juan qui, s'il n'avait pas perdu son calme, semblait toutefois quelque peu éprouvé.

Et d'un coup, il la vit.

Rouge, furieuse, les cheveux noir de jais et de petites joues rebondies.

La sage-femme la lui mit dans les bras, et il sentit son cœur se gonfler de joie et de fierté à la vue de ce petit être parfait.

On leur demanda le prénom à inscrire sur le bracelet, et Juan interrogea Estelle du regard. Ils avaient évoqué quelques prénoms, mais avaient préféré attendre la venue du bébé avant de décider pour de bon. Un seul prénom n'avait pas été suggéré jusqu'à maintenant.

— Gabriella ? dit Estelle.

Juan acquiesça d'un signe de tête, avant d'ajouter, la voix étranglée par l'émotion :

— Gabriella Sanchez Connolly.

— Et il lui faut un second prénom, souligna Estelle.

Ils en discutèrent calmement et ne tardèrent pas à le trouver.

— Je veux téléphoner à Andrew pour lui annoncer qu'il est enfin oncle, dit Estelle, des larmes plein les yeux au souvenir du jour où elle avait tenu pour la première fois la petite Cécilia dans ses bras.

— Nul besoin de lui téléphoner, lui annonça Juan. Il vient d'arriver. Je vais le chercher.

Juan apparut dans la salle d'attente, les yeux injectés de sang, les cheveux en bataille, mal rasé, du rouge à lèvres sur son col de chemise. Mais cette fois, Angela lui souriait.

— C'est une fille ! déclara-t-il. Elles vont bien, toutes les deux.

Tandis qu'Amanda éclatait en sanglots de joie, Andrew vint lui serrer la main.

— Venez la voir, les invita-t-il.

— Bébé ! s'écria Cécilia en désignant sa petite cousine tandis qu'Estelle présentait la nouvelle venue au clan Connolly.

— Viens toi aussi, dit Juan à Angela, qui restait au seuil de la chambre sans oser entrer.

— Elle est parfaite, commenta-t-elle. Comment se prénomme-t-elle ?

— Gabriella, lui annonça Juan en regardant la femme qui avait toujours agi comme une mère pour lui. Gabriella *Angela* Sanchez Connolly.

Oui, les noms espagnols pouvaient s'avérer compliqués, mais aussi très simples.

Ce fut une journée parfaite, suivie d'une soirée merveilleuse.

Une fois tout le monde parti, Juan et Estelle se retrouvèrent enfin seuls, allongés côte à côte sur le lit simple de la maternité, leur petit bébé assoupi entre eux.

Juan avait l'impression que son cœur allait exploser de fierté et d'amour à la vue de la petite fille endormie, et de sa maman, radieuse malgré le rude travail qu'elle venait d'accomplir.

— Merci pour aujourd'hui, dit Estelle d'une voix fatiguée mais incroyablement sereine.

— Merci à *toi*, murmura-t-il. Jamais je n'aurais pensé ressentir autant de bonheur un jour.

— Je voulais dire, merci d'avoir rassemblé ma famille. J'étais tellement contente de les voir tous !

— Je sais, lui affirma-t-il avec douceur, les yeux posés sur elle et le bébé. Grâce à toi, je connais désormais l'importance d'avoir sa famille auprès de soi. Et ça, je ne l'oublierai jamais.

Ne manquez pas, dès le 1er décembre

***UN MARIAGE POUR NOËL**, Lucy Monroe • N°3535*

10 millions de dollars pour s'occuper des neveux de l'homme d'affaires Vincenzo Tomasi ? Pour Audrey, c'est inespéré : elle a tant besoin d'argent pour financer l'inscription de son jeune frère dans la prestigieuse université où il a été admis ! Et puis, contrairement aux autres candidates uniquement attirées par l'appât du gain, elle sait qu'elle saura offrir tout son amour à ces enfants qui viennent de perdre leurs parents. Mais quand Vincenzo lui apprend que ce n'est pas simplement une gouvernante qu'il cherche, mais une épouse, une femme qui tiendra véritablement le rôle de mère auprès de ses neveux, Audrey sent l'angoisse l'envahir : peut-elle vraiment lier son destin à cet homme qui éveille en elle des sentiments brûlants et… incontrôlables ?

***UN ENVOÛTANT SÉDUCTEUR,** Sara Craven • N°3536*

Tavy n'a jamais eu aussi honte de sa vie. Etre surprise par un inconnu, alors qu'elle se baignait nue dans un lac, a déjà été très humiliant. Mais voilà qu'elle vient d'apprendre que ce troublant inconnu n'est autre que Jago Marsh, le scandaleux play-boy qui a récemment racheté le manoir du village, et dont tout le monde parle en ce moment. Pire, il semble désormais déterminé à la séduire… Si pour lui il ne peut s'agir que d'un jeu – n'est-il pas réputé pour son succès auprès des femmes ? —, Tavy sait qu'en cédant au charme de ce séducteur invétéré elle risquerait quant à elle sa réputation et sa tranquillité. Et peut-être aussi son cœur...

***POUR L'AMOUR DE ROSA**, Chantelle Shaw • N°3537*

Quand Salvatore Castellano lui demande de renoncer à ses vacances pour s'occuper de sa fille, Darcey refuse net. D'abord, elle vient de perdre son emploi et elle a besoin de temps pour faire le point sur sa vie. Ensuite, cet homme éveille en elle un trouble qu'elle avait juré de ne plus jamais ressentir après la trahison de son ex-époux. Mais à peine pose-t-elle les yeux sur la petite Rosa, qu'elle sait qu'elle n'a pas le choix. Comment abandonner l'adorable fillette à son sort, alors qu'en tant qu'orthophoniste elle pourrait lui permettre de recouvrer l'usage de la parole ? Désarmée, Darcey se résout à s'envoler pour la Sicile où l'attend le château des Castellano. Mais c'est promis : elle résistera au charme ténébreux de Salvatore.

ORAGEUSES FIANÇAILLES, *Victoria Parker* • N°3538

Eva est furieuse. Comment Dante Vitale a-t-il osé l'embrasser, en public, alors qu'il est fiancé à une autre femme ? C'est sans doute sans importance pour ce richissime milliardaire, mais l'entreprise de confection de robes de mariées qu'elle dirige ne survivra jamais à un tel scandale ! Aussi, quand Dante lui apprend ne s'être inventé une fiancée que pour remporter un important contrat, et qu'il lui propose de transformer ce scandale en conte de fées médiatique – un amour bouleversant, plus fort que les convenances – , Eva sait qu'elle doit accepter. Pourtant, jouer à l'amoureuse promet d'être un cauchemar. Car, malgré les années, elle n'a pas oublié ce soir terrible où Dante l'a rejetée alors qu'elle lui offrait son cœur d'adolescente...

UNE INTOLÉRABLE TRAHISON, *Dani Collins* • N°3539

Sirena Abbott. L'assistante la plus efficace que Raoul ait jamais eue, la femme la plus séduisante sur laquelle il ait posé les yeux… et une voleuse. Comment expliquer autrement qu'une importante somme d'argent ait disparu du compte de l'entreprise ? Pire, non contente de le voler, Sirena s'est jouée de lui : n'a-t-elle pas feint la passion dans ses bras – sans doute pour mieux dissimuler son méfait ? Furieux, Raoul se jure de détruire cette femme sans scrupule. Mais, quand Sirena, plus pâle que jamais, s'effondre sous ses yeux, Raoul comprend très vite que la jeune femme est enceinte. Et il se sent alors envahi par des émotions violentes, contradictoires. Car, au fond de lui, il *sait* que l'enfant qu'elle porte est le sien...

LE DÉFI DU PRINCE, *Sharon Kendrick* • N°3540

Prince de Zaffirinthos, Xaviero di Cesare a l'habitude de voir chacun se plier à ses moindres volontés. Aussi, lorsque la jeune réceptionniste du palace anglais où il est descendu le repousse violemment après le brûlant baiser qu'ils ont échangé, il sent un envoûtant mélange d'irritation et d'excitation l'envahir. Jamais aucune femme ne lui a résisté : c'est décidé, avant la fin de son séjour, il fera de la jeune Anglaise sa maîtresse. Et la colère que Xaviero lit sur le visage de la jeune femme ne fait que renforcer sa détermination. Car rien ne l'excite plus qu'un défi… surtout lorsqu'il a les courbes affolantes et le regard effronté de cette Cathy Burton.

LA MAÎTRESSE DE CRUZ RODRIGUEZ, *Michelle Conder* • N°3541

Cinq jours. C'est le temps qu'il reste à Aspen pour réunir l'importante somme d'argent qui lui permettra de sauver Ocean Haven, le haras familial. Aussi, quand Cruz Rodriguez, l'homme qui a fait vibrer son cœur d'adolescente et qu'elle n'a pas revu depuis le brûlant baiser qu'ils ont échangé huit ans plus tôt, fait de nouveau irruption dans sa vie, elle a l'espoir fou qu'il va lui apporter son aide. N'a-t-il pas toujours aimé le domaine ? N'est-il pas richissime ? Oui, il acceptera sans doute de lui prêter l'argent dont elle a besoin. Pourtant, très vite, Aspen doit se rendre à l'évidence : Cruz ne lui rend pas une visite amicale. Il semble même la détester, comme s'il lui reprochait ce qui s'est passé entre eux huit ans plus tôt...

UN MILLIARDAIRE POUR ENNEMI, Elizabeth Power • *N°3542*

Le soir où Emiliano Cannavaro surgit sur le pas de sa porte, Lauren comprend que le moment qu'elle redoutait tant est arrivé : les Cannavaro ont décidé de récupérer leur héritier. Mais c'est mal la connaître. Jamais elle ne laissera Danny, l'enfant que sa sœur a eu avec le frère d'Emiliano et qu'elle élève comme le sien depuis sa naissance, grandir dans cette famille où l'argent tient lieu de principe d'éducation et d'amour parental. Hélas, elle sait aussi que le combat s'annonce inégal. Non seulement Emiliano est richissime, mais en plus il semble ne rien avoir perdu du pouvoir envoûtant qu'il exerce sur elle depuis l'unique – et inoubliable – nuit qu'ils ont passée ensemble cinq ans plus tôt...

UNE AMOUREUSE INDOMPTABLE, Melanie Milburne • *N°3543*

- Irrésistibles héritiers - 3ème partie

Mariée à Rémy Caffarelli… Angélique est atterrée. Comment a-t-elle pu en arriver là ? Pourtant, son plan était parfait : s'introduire dans la chambre d'hôtel de l'arrogant milliardaire, et le convaincre de lui rendre Tarrantloch, le domaine familial qu'elle aime plus que tout et qu'il vient de ravir à son père. Ce qu'elle n'avait pas prévu, c'est que les autorités découvriraient sa présence dans la chambre… Or, selon les lois de Dharbiri, seuls un homme et une femme mariés peuvent se trouver seuls dans la même pièce. L'unique moyen qu'elle a aujourd'hui d'éviter la prison, c'est de lier son destin à cet homme qui a toujours fait battre son cœur plus vite – sans qu'elle parvienne à déterminer s'il s'agit de haine ou d'un autre sentiment, bien plus dangereux encore...

L'AMANT DE SAINT-PÉTERSBOURG, Jennie Lucas • *N°3544*

- Passions rebelles - 1ère partie

« Si je gagne, tu seras à moi. » En entendant ces mots tomber de la bouche de Vladimir Xendzov, Breanna sent un frisson d'angoisse la parcourir. Vladimir, l'homme qu'elle a follement aimé dix ans plus tôt et qui a aujourd'hui toutes les raisons de la haïr : n'était-elle pas prête à le trahir pour rembourser les importantes dettes de son père et offrir un avenir meilleur à sa jeune sœur ? Et voilà qu'à présent il lui propose un marché : si elle gagne la partie de cartes qu'il lui a proposée, il remboursera toutes ses dettes. Mais si elle perd… non, impossible ! Breanna préfère ne pas songer à ce qui arrivera si elle perd face à cet homme qu'elle n'a jamais cessé d'aimer mais dans le regard duquel elle ne lit plus que haine et mépris.

Attention, numérotation des livres différente pour le Canada : numéros 1970 à 1977.

Composé et édité par HARLEQUIN

Achevé d'imprimer en octobre 2014

La Flèche
Dépôt légal : novembre 2014

Pour l'éditeur, le principe est d'utiliser des papiers composés de fibres naturelles, renouvelables, recyclables, et fabriquées à partir de bois issus de forêts qui adoptent un système d'aménagement durable. En outre, l'éditeur attend de ses fournisseurs de papier qu'ils s'inscrivent dans une démarche de certification environnementale reconnue.

Imprimé en France